아리스토텔레스가 들려주는
행복 이야기

아리스토텔레스가 들려주는

행복 이야기

ⓒ 서정욱, 2005

초판 1쇄 발행일 2005년 11월 18일
초판 29쇄 발행일 2024년 1월 2일

지은이   서정욱
펴낸이   정은영
펴낸곳   (주)자음과모음

출판등록   2001년 11월 28일 제2001-000259호
주소   10881 경기도 파주시 회동길 325-20
전화   편집부 (02)324-2347 경영지원부 (02)325-6047
팩스   편집부 (02)324-2348 경영지원부 (02)2648-1311
e-mail   jamoteen@jamobook.com

ISBN 978-89-544-1990-1 (64100)

• 잘못된 책은 교환해드립니다.

아리스토텔레스가 들려주는
행복 이야기

서정욱 지음

㈜자음과모음

차례

프롤로그

보물을 찾아서

안녕! 나는 고만파 박사야. 뭘 고만 파냐고? 난 어렸을 때부터 땅을 파고 노는 것을 무척 좋아했지. 그랬더니 부모님께서 그만 내 이름을 고만파로 바꿔 버리신 거야. 성이 고, 이름은 만파, 고만파로 말이야. 진짜인지 농담인지 모르겠지만 내가 공부하고, 연구하는 고고학이랑 딱 어울리는 이름이지? 하하하.

지금부터 내가 들려줄 이야기는, 쉿! 이리 가까이 와서 들어야 해. 아직 누구에게도 말하지 않은 너무너무 엄청난 비밀이라서 말이야.

음, 좋아. 이제 들을 준비가 다 된 것 같구나.

다들 놀라지 마. 우리가 밟고 다니는 땅 밑에는 말이야, 수천 년도 더 된 보물이 숨겨져 있을지도 몰라.

자, 잠깐. 애, 너 어디 가는 거니? 뭐, 보물 찾으러 간다고? 조금만 참아. 내

이야기는 아직 시작도 안 했으니까. 그리고 내 이야기를 잘 들으면 보물을 찾는 방법도 알게 될 테니까 말이야. 이래 봬도 난 세계 최고의 고고학자거든.

황금 도시 바빌론의 보물

나는 휘황찬란했던 황금의 도시 바빌론을 오랫동안 연구했어. 참, 너희는 처음 듣는 도시 이름일지도 모르겠구나. 지금은 흔적도 없이 사라진 오래전 도시라서 말이야. 그런데 작년 이맘때쯤이었어. 아주 우연한 기회에 나는 바빌론에 엄청난 보물이 숨겨져 있다는 사실을 알게 된 거야. 그걸 어떻게 알게 되었느냐고?

사실 그때 나는 알렉산더 대왕의 죽음에 대한 미스터리를 추적하고 있었어. 알렉산더 대왕은 바빌론에서 죽었는데, 나는 그게 참 이상하다고 생각했지. 서른셋 젊은 나이에 갑자기 세상을 떠났으니 말이야. 잔치에 참석했다가 술을 많이 마시고 잤는데, 다음 날 일어나지 못했대. 그러고는 열흘 뒤에 그대로 세상을 떠났다는 거야.

이거 뭔가 수상한 냄새가 나잖아? 유럽과 아시아, 그리고 아프리카까지 정복한 힘세고 건강한 대왕이 어느 날 갑자기 세상을 떠나다니 말이야. 그리고 더 이상한 건 알렉산더 대왕이 세상을 떠난 1년 뒤에는 그의 선생님이었던 철학자 아리스토텔레스도 갑자기 세상을 떠났다는 거지.

독약을 마시고 자살을 했다는 이야기도 있어. 나는 분명 이 두 사람의 죽음 뒤에 뭔가가 있다고 생각했지. 그래서 그게 무엇인지 찾기 시작한 거야.

그러면서 나는 새로운 사실들을 알게 되었어. 알렉산더 대왕이 세상을 떠난 뒤에 엄청난 소문이 퍼졌다는 거야. 그 소문의 내용이 무엇이었을까? 너흰 짐작이 가니? 전혀? 그럼 잘 들어. 놀라지 말고 말이야. 그 소문의 내용은 엄청난 보물이 바빌론에 있는데, 그 장소는 아리스토텔레스 혼자만이 알고 있다는 거였어.

뭐? 도대체 그게 어떤 보물이기에 두 사람의 죽음과 관련이 있는 거냐고? 보물은 어디에 있느냐고?

자, 이제부터 그 이야기를 들려줄 테니 귀 기울이고 잘 들어.

아리스토텔레스의
숨겨진 이야기

인간은 폴리스적 동물이다
-아리스토텔레스-

파리대학교에 교환교수로 가게 된 나.
수천 년 전, 고대 도시 바빌론에서 발생한
알렉산더 대왕의 죽음에 대한 미스터리를 추적하던 중
우연히 알렉산더 대왕의 보물에 대해 알게 된다.
게다가 보물은 아리스토텔레스가 숨겼다고 하는데…….
혹시 보물이 이들의 죽음과 관련이 있는 게 아닐까?
으음, 뭔가 수상한 냄새가 나!

① 알렉산더 대왕의 보물

"뭐 뭐라, 보 보물?"

종이가 누렇게 바랜 두꺼운 책을 읽던 나는 깜짝 놀라 소리쳤다.

'아 참참, 여긴 도서관이지!'

그것도 한국의 도서관이 아니었다. 프랑스하고도 파리대학교 도서관이었다. 조용히 책을 보다가 내 소리에 깜짝 놀란 사람들의 따가운 눈총이 날아와 나를 마구 찔렀다.

그런데 그것이 문제가 아니었다. 내가 읽던 면에서 엄청난 내용의 글이 발견된 것이다.

…… 기원전 323년, 바빌론에서 알렉산더 대왕이 갑자기 세상을 떠난 뒤 흥미로운 소문이 떠돌았다. 알렉산더 대왕이 굉장한 보물을 남겼는데…….

'워 워메, 요것이 뭔 소리당가? 보 보물이라고라? 만파야, 싸게싸게 파 부러라!'

전라도가 고향인 어머니께서 함께 계셨다면 분명히 이렇게 말씀하셨을 것이다. 그리고 경상도가 고향인 아버지는 옆에서 이렇게 거드셨을 거다.

'뭐라꼬? 보 보물이라꼬? 니 뭐하고 있노! 꿈지럭대지 말고 싹 후비 파내 뿌라 고마. 그기 니 전공 아이가!'

머릿속에서 오만 가지 생각이 다 들었다. 하지만 귓가에는 여전히 그리운 부모님의 목소리가 쟁쟁거리고 있었다.

"호호호……"

심각한 상황인데, 갑자기 웃음이 나왔다. 역시나 생각만 해도 참 재미있으신 부모님이다.

나는 고고학 중에서도 고대 도시 바빌론 전공이었다. 그런데 작년부터는 바빌론에서 세상을 떠난 알렉산더 대왕의 죽음에 대한 미스터리를 추적하고 있었다. 독살되었다고도 하고, 말라리아모기에 물려서 세상을 떠났다고도 하고, 술을 너무 많이 마셔서 세상을 떠났다고도 하는데, 그의 죽음은 여전히 풀리지 않는 미스터리로 남아 있었다. 나는 그것을 풀고 싶었다.

'알렉산더 대왕의 보물? 이거 뭔가 수상한 냄새가 나는데! 어디, 계속 읽어 보자.'

…… 철학자 아리스토텔레스 혼자만 보물이 있는 장소를 알고 있다는 소문이 돌았다. 알렉산더 대왕이 세상을 떠나고 나서 마케도니아는 네 개의 나라로 갈라졌는데, 네 명의 왕은 서로 보물을 차지하겠다고…….

　"뭐라? 아리스토텔레스 혼자만 보물이…….."
　나는 더 깜짝 놀라서 소리치다가 우물우물 목소리를 삭였다. 도서관에서 조용히 책을 보던 사람들의 따가운 눈총이 일제히 내게 날아와 폭폭 꽂혔기 때문이다. 그래도 들뜬 내 기분은 하늘을 나는 것 같았다.
　'음, 이거 얘기가 점점 재미있어지는걸……. 보물, 알렉산더 대왕, 아리스토텔레스……. 음, 뭔가 수상한 냄새가 나!'
　생각하면 생각할수록 파리대학교에 오게 된 것은 참 잘된 일이었다. 교환 교수로 1년 동안 있게 되었는데, 800년 가까이나 된 이 도서관에는 다른 곳에는 없는 진귀한 책이 많았다. 나는 서둘러 문제의 글을 노트에 베낀 다음 도서관을 빠져나왔다.
　내 방으로 돌아온 나는 생각하고 또 생각했다.
　'보물, 알렉산더 대왕, 그리고 철학자 아리스토텔레스. 그런데 아리스토텔레스에 대해서는 뭐 아는 것이 있어야지…….'
　그러다 보니 생각이 빙빙 맴돌기만 하고 앞으로 나아가질 못했다.

결국 나는 뜬눈으로 밤을 새고 말았다. 그리고 새벽이 되어서야 아리스토텔레스 전문가에게 도움을 받기로 결정했다.

'그래, 아리스토텔레스가 철학자였으니까 먼저 철학과로 가 보자!'

다음 날 아침, 나는 전날 베껴 적은 노트를 들고 방을 나섰다. 그리고는 무작정 파리대학교 철학과를 찾아갔다.

② 고만파, 류팽을 만나다

오랜 역사를 자랑하듯 철학과 건물은 아주 고풍스럽고 위엄 있게 보였다. 가을을 맞은 수백 년 된 나무들은 단풍으로 곱고도 아름답게 단장하고 있었고, 곳곳에 낙엽들이 수북이 쌓여 있었다.

"참!"

철학과 건물로 들어선 나는 뒷머리를 벅벅 긁었다. 누굴 찾아가야 할지 몰랐기 때문이다.

바로 그 때였다. 입구에서 어쩔 줄 모르고 서 있는 나를 흘금흘금 바라보더니, 가던 길을 돌아서 내게 다가오는 사람이 있었다. 얼굴이 나처럼 넓적하고 색이 누런 게 동양 사람이었다.

"저 혹시 고만파 박사님 아니세요?"

'한국 사람이다! 게다가 나를 아는 것 같은데……'

나는 너무너무 반갑고 놀라워서 입을 딱 벌릴 수밖에 없었다.

"네, 제가 고만파입니다만……."

"하하하, 안녕하세요? 저는 류팽이라고 합니다. 한국에서 교수님 수업을 들었어요. 고고학 수업이요."

"이렇게 반가울 수가! 아니, 그런데 학생이 여긴 웬일이에요?"

"교환 학생으로 왔어요."

"그거 잘됐군. 그럼, 학과는?"

"철학과예요."

"철학과!"

순간 내 머릿속에 울려 퍼지는 노래가 있었다.

'우리 만남은 우연이 아니야……'

"하하하, 하느님 아버지 땡큐! 학상, 나를 좀 도와주시구라!"

"……."

나는 최대한 측은하고 친근한 말

투로 류팽을 붙잡고 늘어졌다. 류팽은 다행히도 흔쾌하게 수락했다. 그러면서 덧붙여 말했다.

"박사님, 왜 높임말을 쓰세요? 저도 제잔데……. 그리고 그냥 편하게 이름을 불러 주세요."

"그…… 그러지요오."

"또 그러신다!"

"아 알았네, 알았어."

나는 앉을 만한 데를 찾으려고 두리번거렸다. 건물 앞 벤치 중 하나가 마침 비어 있었다. 나는 류팽을 데리고 그 벤치로 가 앉았다.

"그런데 박사님, 제가 무엇을 도와드려야 하나요?"

나는 전날 노트에 베껴 쓴 것을 펼쳐 건네주었다.

"이것을 좀 읽어 보게."

노트를 받아 들고 무심코 읽어 내려가던 류팽은 깜짝 놀라더니, 이내 눈에서 초롱초롱 빛이 났다. 그리고 나에게 질문을 쏟아 붓기 시작했다.

"박사님, 이 노트의 내용은 어디서 구하신 건가요? 그리고 누가 쓴 거죠? 이 내용이 모두 사실인가요? 그럼 보물은 지금 어디에 있지요? 발견은 되었나요? 바빌론은 지금 어디에 있어요……?"

끝도 없이 질문을 쏟아 붓는 류팽은 마치 형사 같았다.

"잠깐! 정신없어. 한 번에 하나씩만 물어 보게."

"저 그럼, 이 노트의 내용에 대한 것부터……."

나는 먼저 류팽을 진정시키고 차근차근 설명을 하기 시작했다.

"이 노트는 내 거야. 당연히 내가 쓴 거지."

"그럼 여기 쓴 글은 박사님 생각인가요?"

"아닐세. 책에서 베껴 쓴 것이네. 실은 어제 도서관에서 오래된 책을 하나 찾아냈는데, 바빌론의 역사에 대한 것이었지."

"네에? 그럼 이게 정말 사실이란 말인가요?"

"그렇지. 그 책을 쓴 학자는 바빌론 역사에 관한 한 무척 권위 있는 사람이거든."

"그렇다면 더 흥미로운데요."

류팽은 한 손으로 턱을 괴더니 깊은 생각에 빠진 듯 했다. 무슨 생각을 하는 것인지 궁금했다.

하지만 나는 그 궁금증을 뒤로 하고 내 이야기부터 시작했다.

"류 군, 사실 나는 알렉산더 대왕의 죽음에 대해 캐고 있는 중이네. 대왕은 기원전 323년에 바빌론에서 갑작스레 죽었지. 그때 나이가 불과 서른세 살이었어. 한창 때였지."

"알렉산더 대왕은 계속되는 술잔치 때문에 병이 나서 죽은 거 아닌가요?"

류팽이 이상하다는 듯이 물었다.

"아닐세. 가장 유력한 설은 대왕을 시기하던 귀족들에게 독살되었다는 것이야. 물론 모기에 물려 말라리아로 세상을 떠났다는 설도 있어. 그리고 자네 말대로 술을 많이 마셔서 죽었다는 설도 있네."

"그렇군요. 그런데 대왕의 죽음과 박사님이 노트에 베껴 쓴 글은 무슨 연관이 있을까요?"

"음, 만약에 알렉산더 대왕이 엄청난 보물을 가지고 있었다면, 그리고 사람들이 그 사실을 알고 있었다면……."

"아, 알겠어요. 그러니까 보물을 빼앗기 위해 독살했을 가능성이 있다는 말씀이시죠?"

"충분히 그럴 가능성이 있지. 류 군. 어때, 그럴듯하지 않은가?"

"음, 그렇군요. 박사님, 그런데 제가 무엇을 도와 드려야 하나요?"

"바로 아리스토텔레스야! 거기에서 생각이 딱 막힌 거야. 내가 그 사람에 대해 아는 것이 있어야 말이지. 이럴 줄 알았으면 철학 수업을 잘 들었어야 하는 건데 말이야. 쯧쯧쯧……"

곰곰이 생각하던 류팽이 결심을 한 듯이 비장한 표정으로 나를 바라보았다.

"박사님!"

"왜 그러나? 류 군!"

"잘 찾아오셨습니다!"

"뭘?"

내가 무슨 소린지 몰라 눈만 껌뻑이고 있는데, 류팽이 바짝 가까이 다가왔다. 그러고는 입고 있던 체크무늬 윗도리 왼쪽 앞섶을 슬쩍 젖혀서 안에 달린 무엇인가를 보여 주었다. 그것을 본 내 눈이 황소 눈처럼 커졌다. 결국 나는 한참 어깨를 들썩거리다가 배꼽을 잡고 웃음을 터뜨렸다.

"푸허허, 도저히 못 참겠다. 푸허허허……."

"왜 그러세요, 박사님……."

나는 웃음을 멈출 수가 없었다. 지나가던 사람들이 우리를 흘긋거렸다. 류팽도 당황한 표정이었다.

"그만하세요. 그렇게 웃으실 것까진 없잖아요, 쳇!"

류팽이 보여 준 것은 보안관 배지 같은 것이었다. 거기에는 큰 글자로 '철학 수사대'라고 쓰여 있었다. 어렸을 때 가지고 놀던 것을 지금까지 달고 다니는 모양이었다.

"허, 미안. 그런데 류 군, 자넨 지금 그런 것 가지고 놀 나이는 지나지 않았나?"

내가 웃음 섞인 소리로 물었다. 그러나 류팽은 진지한 표정으로 대답했다.

"이거 장난감 아니에요, 박사님."

류팽의 얼굴이 약간 붉어졌다.

"장난감이 아니면, 진짜란 말인가? 철학 수사대라니, 그런 게 정말 있다는 건가?"

"그럼요. 아직도 활동이 활발하단 말이에요. 이래 봬도 경찰청장 표창까지 받았다고요."

"그렇다면 류 군. 내가 정말 큰 실수를 했네. 내 사과함세. 미안하네. 그래서 자네가 잘 찾아왔다고 한 게로군?"

"네. 하지만 박사님이 굳이 제 도움이 필요 없으시면 전 이만 실례할게요."

나는 가볍게 목례를 하고 자리에서 일어서려는 류팽을 붙잡았다.

"잠깐, 가긴 어딜 가나! 내가 정말 잘 찾아왔구먼. 류 군, 나를 도와주게, 제발!"

류팽은 잠시 주저주저했다.

"그럼, 박사님. 다시는 웃지 않겠다고 약속하세요!"

"허허허, 알았네. 알았어."

이렇게 해서 나는 기대치 않았던 동지를 얻게 되었다.

③ 고대 도시 바빌론

그날 이후, 나는 틈틈이 철학자 아리스토텔레스에 대해 배웠다. 물론 '철학 수사대'라는 정체 불명 단체 출신의 새로운 동지에게서 말이다.

아리스토텔레스는 알렉산더 대왕의 선생님이었다고 했다. 그런데 알렉산더 대왕이 세상을 떠난 1년 후, 아리스토텔레스도 갑자기 세상을 떠났다고 했다. 그리고 알렉산더 대왕이 세상을 떠나고 나서 아테네에서 쫓겨난 지 2~3개월쯤 지났을 때, 아리스토텔레스가 독약을 마시고 자살을 했다는 소문도 돌았다고 했다.

분명 두 사람은 예사로운 관계가 아니었다.

내가 류팽을 만난 지 일주일쯤 되었을 때였다. 그날도 내가 머물던 집에서 우리는 함께 저녁을 먹었다. 마침 한국에서 부모님이 보내주신 김치와 고추장이 있어서, 오랜만에 김치찌개를 끓이고, 고추장에 쓱싹쓱싹 밥을 비벼서 맛있게 먹었다.

저녁을 먹고 난 우리는 거실에 벽난로를 피우고 그 앞에 자리를 잡았다. 그리고 아리스토텔레스에 대한 이야기를 나누었다.

"이것도 영 수상한데……. 류 군, 자네 생각은 어떤가?"

"박사님 생각도 그렇죠? 알렉산더 대왕이 엄청난 보물을 가지고 있었다, 그런데 갑자기 죽었다. 그리고 1년 뒤에 보물의 위치를 알고 있다는 아리스토텔레스가 갑자기 자살을 했다?"

"그래, 분명 수상해. 아리스토텔레스는 자살한 게 아니라, 소문을 듣고 보물을 찾으러 온 사람들이 죽인 게 아닐까?"

"후, 위대한 인물이 둘씩이나 목숨을 잃다니……. 박사님, 도대체 어떤 보물일까요? 그리고 지금은 어디에 있을까요?"

"음, 보물이 무엇인지는 아직 모르겠고, 위치는 아무래도 바빌론 어딘가에 있지 않을까 싶은데. 보물을 가지고 있었던 알렉산더 대왕이 바빌론에서 죽었으니까 말이야."

내 말이 채 끝나기 무섭게 류팽이 벌떡 일어나 나가려고 했다.

"아니, 갑자기 어디 가려고?"

"보물 찾으러요."

"자네, 지금 농담하나?"

"농담 아닌데요, 박사님!"

'아이코, 저 급한 성질 하고는.'

나는 몸을 날려 류팽을 붙잡았다.

"바빌론이 어딘 줄이나 알아?"

"그거야 당연히 지도에 나와 있겠죠. 빨리 가요. 박사님은 궁금하지도 않으세요?"

"여보게 류 군, 바빌론은 지금 없다네. 지도에 표시되어 있지도 않아. 바빌론은 사라진 고대 도시라고, 알겠나?"

순간 류팽은 무척 실망한 표정을 짓더니 다그치듯 물었다.

"아니, 그럼 박사님은 있지도 않은 도시를 연구하신단 말씀이세요? 말도 안 돼요. 어떻게 있지도 않은 도시를 연구하시죠?"

"여보게, 자네 나한테 고고학 수업 들은 게 맞나? 지금 말하는 걸로 봐서는 분명 점수가 형편없었을 게 틀림없어, 맞지?"

'점수'라는 말이 나오자 류팽이 잠잠해졌다.

내가 천천히 입을 열었다.

"류 군, 고고학은 유물이나 유적을 연구해서 우리 조상들의 모습이 어땠는지 알아내는 거야. 바빌론도 마찬가지로 유물이나 유적이 있지 않겠나? 그것을 연구하면 바빌론이 어땠는지 알 수 있지."

내 말을 듣더니 굳어 있던 류팽의 표정이 확 펴졌다.

"그럼 바빌론도 유물이나 유적이 있나요?"

"당연히 있지. 왜, 듣고 싶나?"

"그럼요. 얘기 해 주세요. 저도 아리스토텔레스에 대해 많이 알려 드렸잖아요. 가는 정이 있으면, 오는 정도 있어야……."

'허, 그거 참. 미워하려고 해도 미워할 수 없는 귀여운 동지군.'

나는 계속 쫑알대는 류팽을 향해 너털웃음을 짓고는 입을 열었다.

"허허허, 알았네, 알았어. 바빌론에 대해 얘기해 줌세. 먼저 바빌론에서 가장 유명한 것이 뭔지 아나?"

류팽이 고개를 갸우뚱갸우뚱하더니, 도리질을 하며 잔뜩 궁금하다는 표정으로 나를 바라보았다.

"음, 바벨탑이라고 들어 본 적 있지?"

'바벨탑'이라는 말에 류팽의 눈이 똥그래졌다.

"네, 알아요. 거 뭐더라, 아, 맞다! 사람들이 하느님이 계신 하늘나라에 닿겠다고 탑을 높이높이 쌓았다고 했어요. 그러다가 하느님께 벌을 받아서 사람들의 언어가 한국어, 중국어, 영어, 프랑스어, 독일어, 아이고 숨차라. 그런 여러 말로 갈라졌다고 했어요. 그래서 서로 말이 안 통해서 탑 쌓는 일이 엉망이 되고, 결국 무너지고 말았다고 했어요. 맞죠, 박사님?"

"맞아. 바벨탑에 그런 얘기가 전해 내려오지. 《성경》에 그렇게 쓰여 있고 말이야. 그 바벨탑이 바로 바빌론에 있었어."

"그게 정말 있었던 일이에요?"

"그럼, 독일의 유명한 고고학자 콜데바이 박사가 바빌론을 발굴하셨지. 1913년에는 바벨탑을 찾아내셨고 말이야. 기록에 따르면 바벨탑은 높이가 90미터나 되었다고 하네. 아파트로 따지면 40층 정도와 맞먹는 높이지. 당시 기술로 대단하지 않나? 이천 년도 더 지난 오랜 옛날 일인데 말이야."

"와, 정말 높았군요. 바벨탑이 정말 있었다니, 놀라워요. 또 다른
건 없었나요?"

"또 놀랄 만한 게……. 아, 공중 정원이 있었지. 이건 세계 7대 불
가사의에도 속한 건데, 바빌론의 공중 정원은 그만큼 유명했지. 멀
리서 보면 마치 정원이 공중에 떠 있는 것처럼 보였다고 해서 '공중
정원' 이라고 이름 붙여졌다는 게야."

상상이 잘 안 가는지 눈동자를 이리저리 굴리며 고개를 갸우뚱갸우뚱하는 류팽의 표정이 무척 재미있었다.

"그게 말이야, 그러니까 끝없이 이어진 계단식 테라스에 나무와 꽃을 가득 심어서 멀리서 보면 마치 작은 산처럼 보였다는군. 바빌론의 왕이 고향을 그리워하는 왕비를 위해서 만들었다고 하지. 왕비의 고향은 꽃과 나무가 풍성한 곳이었거든. 그런데 바빌론은 비가 잘 오지 않는 곳이라 일부러 강물을 끌어 와서 정원에 흐르게 했

다고 해. 대단하지?"

"네, 박사님. 사랑의 힘은 정말 대단하군요. 그곳이 지금도 남아 있나요?"

"아니, 단지 콜데바이 박사가 유적지를 발견해서 그 규모가 어땠 는지 짐작만 할 수 있지. 바빌론 성벽의 두께가 어느 정도였느냐 하 면, 말 네 마리가 끄는 마차 두 대가 함께 지나가도 괜찮을 정도였 다는군."

"와, 한번 봤으면 좋겠네요. 그럼 바빌론은 지금 황량한 유적지만 남아 있는 거네요?"

수천 년 전의 고대 문명이 그토 록 찬란했다는 것이 믿기지 않으 면서도 감동적이었는지, 류팽은 바빌론에 큰 관심을 보였다.

"그 유적지가 어디냐면, 이라크 수도인 바그다드에서 가깝다네. 차 로 한 시간 정도면 갈 수 있는 거리 야. 그리고 이라크 정부가 국민들 에게 자긍심을 불러일으키기 위해 서 바빌론을 복원한다고 하는군."

"그럼, 박사님. 공중 정원도 볼 수 있겠네요?"

"그럴지도 모르지, 허허허."

"와, 그날이 빨리 왔으면 좋겠어요!"

"나도 제발 그랬으면 좋겠네. 이젠 바빌론에 대한 궁금증이 조금은 풀렸나?"

"그럼요."

류팽은 만족한 듯 웃으면서 대답했다.

그러더니 갑자기 류팽의 표정이 어두워졌다.

'아무튼, 류 군은 변화무쌍한 젊은이야.'

내가 이렇게 생각하고 있을 때, 류팽이 물었다.

"그런데 박사님. 바빌론이 유적지만 남았다면, 보물은 어떻게 찾죠? 없어져 버렸을 가능성도 크겠네요?"

나도 류팽의 말을 듣자 조금은 걱정이 되었다.

"그렇긴 하지만, 아직 포기하긴 이르지. 할 수 있는 데까진 해 봐야지. 류 군 어떤가?"

"좋아요! 참, 제가 말씀드렸던가요? 저는 박사님이 너무너무 좋아요."

"허허허, 나도 류 군이 참 좋아. 하지만 그 급한 성격만 좀 고치면 더 좋을 텐데 말이야."

"에이, 그게 제 매력인 걸요, 하하하."
나와 류팽의 밤은 그렇게 저물었다

아리숑 또틀려쑤 교수

그로부터 얼마 후, 나는 또 한 명의 새로운 동지를 얻게 되었다. 류팽이 공부하고 있는 철학과에 아주 유명한 교수님이 한 분 계셨는데, 이름부터 특이했다. 내 프랑스어 발음이 서툴러서 그런지는 몰라도 그의 이상한 이름을 듣고 한참 웃고 말았다. 아리숑 또틀려쑤라는데, 뭔가 알쏭달쏭하면서도 자꾸 틀리는 사람이 머릿속에 그려졌기 때문이다.

아리숑 교수를 만나게 된 것은 류팽이 서양 철학사 시간에 꾸벅꾸벅 졸았던 덕이다.

"그래서 아리스토텔레스는 아테네에서 쫓겨났수와. 그 후에……."

"쿨쿨, 음냐 음냐……."

"아니, 저 학생은 뭐쥬르?"

아리송 또틀려쑤 교수의 서양 철학사 시간에 하필이면 제일 앞자리에서 류팽이 정신없이 자고 있었던 것이다.

옆 자리에 앉은 학생이 옆구리를 찔렀을 때, 류팽은 소리를 지르며 깨어났다.

"옴마야!"

"하하하."

"호호호."

학생들이 배를 잡고 웃었다.

단발머리에 단정한 스커트 정장 차림의 아리송 교수가 코에 걸친 안경 너머에서 빛나는 매서운 눈초리로 쏘아보고 있었다.

그제야 상황을 파악한 류팽은 자리에서 벌떡 일어났다.

"괜찮아요, 앉아요. 학생은 지금이 낮잠 자는 시간인가 보쥬르?"

"아닙니다. 죄송합니다, 교수님. 요즘에 아리스토텔레스와 보물 때문에 정신이 없어서."

'앗, 내가 지금 무슨 소리를 하는 거야.'

"잠이 덜 깨서 잠꼬대를, 하하하."

류팽은 얼른 말을 주워 담으려고 했지만, 교수의 표정을 보니 이미 때는 늦은 것 같았다.

"방금 뭐라고 했수와? 흠, 오늘 수업은 여기서 마치겠수와. 학생은 내 연구실로 같이 가쥬르."

그렇게 해서 따라간 연구실에서 류팽은 난처한 상황에 처하게 되었다.

"학생, 이름이 뭐쥬르?"

"류팽입니다. 지난 학기에 한국에서 교환 학생으로 왔어요."

"뤼팽? 호, 그건 우리 프랑스에서 아주 유명한 이름인데."

"아니에요. 뤼팽이 아니고 류팽이라고요."

"그래요, 뤼팽. 괴도 신사 뤼팽이라고 유명하지요르."

잠시 침묵이 흐른 뒤, 아리숑 교수가 류팽에게 물었다.

"뤼팽, 좀 전에 교실에서 했던 말을 다시 해 주겠수와?"

류팽은 무척 고민했다. 멀리 프랑스에 와서 철학을 공부하는 학생이 공부는 뒷전인 채 난데없이 보물을 찾는다고 하면 좋아할 교수가 어디 있겠는가. 잘못하면 한국으로 쫓겨날 수도 있는 상황이었다. 그렇지만 교수의 얼굴을 보니 차마 거짓말을 할 수가 없었다. 게다가 아리숑 교수는 학생들에게 인자하기로 소문이 나 있었다.

"저 사실은 얼마 전 철학과 건물에서, 한국에서 오신 고만파 박사님을 뵈었어요. 그분도 여기에 교환 교수님으로 오셨거든요. 그런데……."

류팽이 설명하는 자초지종을 들은 아리숑 교수는 의외로 놀라지 않았다. 그렇다고 화를 내지도 않았고, 한참 동안 눈을 감고 생각에 빠져 있

뤼팽?

을 뿐이었다. 그리고 무슨 결심을 했는지 약간은 긴장한 표정으로 류팽에게 말했다.

"고만파 박사님을 만나게 해 쥬르."

이렇게 해서 류팽이 아리숑 교수를 내 집으로 데리고 오게 된 것이다.

우리 세 사람은 거실 벽난로 앞에 둘러앉았다.

잠시 침묵이 흘렀다.

"탁탁 타닥……."

벽난로에서 나무 타는 소리만 들렸다. 우리는 서로 멀뚱멀뚱 바라보기만 했다.

그러다가 아리숑 교수가 먼저 침묵을 깼다.

"보여 줄 게 있수와."

우리 앞에 내민 것은 둘둘 말린 양피지 두루마리였다. 때가 꼬질꼬질 묻어 있고, 끝 부분은 너덜너덜해져 있는 것으로 보아 꽤 오래된 것 같았다.

"이것은 오래전에 종이 대신 쓰이던 양피지 아닌가요?"

고고학 박사답게 나는 양피지를 알아보았다. 팽은 잘 모르겠다는 표정으로 우리 둘을 번갈아 보고만 있었다.

아리숑 교수가 고개를 끄덕였다. 나는 황급히 그 두루마리를 펴 보았다. 순간 내 손이 떨렸다.

"아니, 이것은?"

"그게 뭔지 알고 놀라시는 거겠쥬르?"

"……."

사실 나는 그게 뭔지도 모르고 놀란 척했을 뿐이었다. 그런데 사정도 모르고 류팽이 물었다.

"박사님, 그게 뭔가요?"

"……."

"빨리 말씀해 주세요. 박사님, 궁금해요."

'아유, 눈치 없는 녀석. 창피해.'

머뭇머뭇하던 내가 입을 겨우 열었다.

"음, 이게 뭐냐 하면…… 사실 내가 말을 조리 있게 하지 못해서 말이야. 아리송 교수님이 나보다 더 잘 설명해 주실 것 같은데요, 허허허."

그제야 두 사람은 내 처지를 알아차린 것 같았다.

피식 웃고 난 아리송 교수가 양피지 두루마리에 대해 설명했다.

"이것은 독일의 고고학자 콜데바이 박사가 1913년에 발견한 것이에요르."

'콜데바이 박사라면 바빌론과 바벨탑 유적을 발굴한 사람 아닌가. 게다가 1913년이라면 바벨탑 유적을 발굴한 때!'

나는 깜짝 놀랐다.

"1913년이라면 바벨탑을 발굴했을 때인데, 그럼 혹시 그때?"

내가 긴장한 목소리로 묻자,

아리슝 교수는 고개를 끄덕이며 대답했다.

"맞아쑤와. 그때 바벨탑에 대해 쓰여진 점토판뿐만 아니라 이것도 함께 발굴했쥬르. 하지만 이것은 콜데바이 박사가 자신의 일행이 잠든 밤에 우연히 발굴 현장에 갔다가 발견한 것이에요르. 그래서 세상엔 알려지지 않았쑤와."

"그런데 그것을 어떻게 교수님이?"

우리는 아리슝 교수가 더욱 궁금하기만 했다.

'도대체 이 사람의 정체가 뭘까? 하지만 나쁜 사람은 아닌 게 확실한데……'

내가 이런 생각을 하고 있을 때, 아리슝 교수가 말했다.

"나는 서양 철학사가 전공이에요르. 그중에서도 고대 그리스 철학이 전공이쥬르. 아리스토텔레스는 내 박사 논문의 주제였쑤와."

설명을 듣고 있는 나와 류팽의 표정이 점점 긴장되어 갔다.

'그럼 혹시 아리슝 교수님도 우리가 발견한 사실에 대해 알고 있을까?'

나는 이런 생각을 하면서 마른침을 꿀꺽 삼켰다.

아리슝 교수가 말을 이었다.

"아리스토텔레스를 연구하다 보니 이상한 점이 하나 있었쑤와. 제자였던 알렉산더 대왕이 세상을 떠난 지 1년 후에 그도 갑자기 세상을 떠났수와. 그런데 대왕이 세상을 떠난 뒤 아테네에서 쫓겨난 아리스토텔레스에 대해 이리저리 떠돌다 독약을 마시고 자살을 했다는 소문이 자자했수와."

우리는 숨을 죽이고 아리숑 교수의 말을 경청했다. 왠지 교수도 보물에 대해 알고 있는 것 같다는 생각이 들었다.

"이 점이 이상하지 않나요르?"

아리숑 교수가 우리 얼굴을 보면서 물었다.

"그렇죠, 이상하죠."

나와 류팽이 약속이나 한 듯이 동시에 대답했다.

그러자 아리숑 교수는 의심스럽다는 눈초리로 우리를 보면서 물었다.

"뭐가 이상하다는 거예요르?"

"……"

"……"

철학과 교수 앞이라 그런지 계속 말문이 막혔다.

아리숑 교수는 그럴 줄 알았다는 표정으로 혀를 끌끌 차더니 다시 말을 이었다.

"아리스토텔레스의 철학 중에서 가장 중요한 것이 무엇인지 아나요르? 쯧쯧, 알 턱이 없쥬르. 고만파 박사님은 고고학 전공이라 그렇다 치고, 뤼팽 학생은 반성 좀 해요르. 그래도 철학을 공부하는

데, 어째 몰라도 너무 모르는 것 같수와."

류팽은 억울하다는 표정을 지었다.

"잘 들으세요르. 아리스토텔레스의 철학 사상 중에 가장 중요한 핵심은 행복이에요르. 어려운 말로는 '최고선'이라고 하쥬르."

그 말에 나는 깜짝 놀랐다.

"행복이요? 최고선? 음, 굉장히 철학적으로 들리네요. 그런데 한 가지 부탁이 있수와."

나는 갑자기 아리숑 교수의 말투를 흉내 내며 말했다.

"저기수아, 교수님의 말투가 너무 웃겨서 말이쥬르."

아리숑 교수의 얼굴이 빨개졌다.

나는 예의 없이 군 것 같아서 바로 사과했다.

"앗, 죄송합니다. 그냥 프랑스어 발음에 익숙하지 않아서 그래요. 실례가 안 된다면, 발음을 좀 딱딱하게 해 주시면 안 될까요?"

"불편하시다면 바꿔 보죠. 이제 됐나요? 호호호."

아리숑 교수도 생각해 보니 우스운지 우리를 보며 웃었다.

"행복에 대해 얘기하셨죠?"

나는 아리송 교수가 하던 이야기가 궁금해서 다시 물었다.

"그래요. 얘기를 계속하자면, 아리스토텔레스는 행복을 최고선이라고 했어요. 최고선이란 '가장 좋은 것' 이라는 뜻이지요."

아리송 교수의 이야기는 계속되었다.

"행복은 그것에 덧붙여서 다른 것이 더 필요하지 않아요. 제일 완전하고 제일 만족스런 상태가 바로 행복이에요."

"그런데 아리스토텔레스의 죽음이 왜 이상하다는 거예요?"

류팽이 끼어들었다. 아리송 교수는 오랜만에 똑똑한 질문을 했다는 표정으로 류팽을 바라보며 대답했다.

"뤼팽 군! 아주 좋은 질문을 했어요. 내가 이상하게 보는 이유는 두 가지랍니다."

아리숑 교수는 이야기에 맞추어 손가락 하나를 펴 들었다.

"첫째는 아리스토텔레스가 '인간은 정치적 동물이다'라고 했기 때문이에요. 사실 여러분에겐 '인간은 사회적 동물이다'라는 말이 더 잘 알려졌겠지만, 그 말도 여기서 나온 거예요. 그 뜻은 서로 비슷하지요. 아리스토텔레스는 더불어 함께 살아가는 것에 큰 의미를 두었어요. 그런 아리스토텔레스가 죽음에 임박한 무렵에는 아무 데도 속하지 않고 이리저리 도망치듯 살았다는 것은 참으로 이상한 일이 아닐 수 없어요."

잠시 숨을 고른 아리숑 교수는 두 번째 손가락을 폈다.

"둘째는 아리스토텔레스가 행복하고 싶으면 중용의 덕을 가지라고 했기 때문이에요."

"중용이라고요? 그건 유교에서 하는 말인데요? 류 군, 그렇지 않은가?"

나는 '중용'이란 말에 고개를 갸우뚱거렸다.

"맞아요, 유교에도 중용이 있어요, 하지만 아리스토텔레스도 중용을 말했어요."

류팽이 친절하게 설명해 주었다.

"뤼팽 군이 잘 말했어요. 아리스토텔레스는 갖고 싶은 것, 하고 싶

은 것, 탐나는 것이 있어도 마음을 잘 다스려서 지나치지 않게 하는 것이 습관이 되게 하라고 했어요. 그것이 바로 중용이에요."

설명을 듣다 보니 아리숑 교수가 왜 아리스토텔레스의 죽음을 이상하다고 생각했는지 이해가 되었다.

"이제 이해가 되네요. 아리스토텔레스는 평소에 중용의 덕을 실천하라고 했는데, 소문대로 독약을 마시고 자살을 했다면, 정작 자신은 중용을 지키지 않았다는 게 되니 이상하다는 말이죠?"

내 말을 들은 아리숑 교수는 잘 맞혔다며 크게 고개를 끄덕였다.

"그래요. 잘 이해하셨네요. 자살도 충동적으로 일어나는 일이라고 볼 수 있어요. 너무 힘들고 지쳤을 때나 화가 많이 났을 때 마음을 다스리지 못하면 자살이라는 무서운 일을 저지르게 되죠. 그렇기 때문에 평소에 중용을 실천한 아리스토텔레스라면, 마음을 다스리는 것이 습관화되었을 것이기 때문에 독약을 마시고 자살을 할 일은 없었겠지요. 그런데도 그런 소문이 돌았다는 것은 사실을 감추려고 누군가 헛소문을 퍼뜨렸을 수 있다는 것을 뜻하지요."

나와 류팽은 고개를 끄덕였다. 그리고 좀 전에 아리숑 교수가 꺼냈던 양피지 두

루마리를 들여다보았다.

"그럼 다시 얘기를 돌려서 양피지 두루마리를 어떻게 발견했는지 말하겠어요. 고만파 박사님, 뤼팽 군. 그 전에 조금만 쉬죠."

"그렇게 하시지요."

"고 박사님, 화장실이 어디지요?"

"저기요."

류팽이 손가락으로 가리켰다.

아리송 또틀려쑤 교수가 자리를 비운 사이에도 우리는 꼼짝 않고

앉아 있었다. 저마다 머릿속에 지금까지 들은 이야기를 정리하면서 앞으로 어떤 이야기가 전개될지 잔뜩 궁금해하는 표정이었다.

'음, 알렉산더 대왕이 마지막으로 머물렀던 바빌론에서 발견된 양피지 두루마리라. 이 두루마리에는 도대체 어떤 사연이 들어 있을까?'

나는 턱을 쓱쓱 쓸어내렸다. 생각이 많아질 때마다 나오는 버릇이었다.

밤이 깊어질수록 우리의 궁금증도 더해 갔다.

철학
돋보기

　아리숑 또틀려쑤 교수님이 아리스토텔레스의 죽음을 이상하게 여기는 데는 두 가지 이유가 있어요. 첫째는 아리스토텔레스가 '인간은 폴리스적 동물이다'라고 했기 때문이고, 둘째는 행복하고 싶으면 중용의 덕을 가지라고 했기 때문이에요. 그럼 하나씩 자세하게 살펴볼까요?

　첫째로 '인간은 폴리스적 동물이다'를 요즘 말로 옮기자면, '인간은 정치적 동물이다'라고 할 수 있어요. 폴리스는 도시국가라는 뜻인데, 고대 그리스의 정치 형태입니다. 그리스는 하나의 도시가 하나의 국가를 이루었어요. 국가의 크기가 작으니까 시민이 직접 정치에 참여할 수가 있었겠죠? 그래서 아리스토텔레스는 가장 이상적인 정치 형태가 '폴리스'라고 생각했고, 인간은 이 폴리스의 정치에 참여할 때 비로소 인간이 된다고 했어요.

　인간이 된다는 것은 인간다워진다는 말이에요. 좀 멋있는 말로 표현하자면, 개인의 자아실현은 사회, 국가에서의 도덕 생활을 통해 가능하다는 뜻입니다. 아리스토텔레스는 폴리스 밖의 인간, 혼자서 모든 것을 자급자족하면서 살아갈 수 있는 인간은 야수나 신이라고 말했답니다. 그만큼 정치 공동체(국가)의 필요성을 강조했어요. 그리고 정치의 목적은 바로 인간의 선이라고 했습니다. 그는 국가를 인간의 선한 삶을 장려하기 위한 최고의 제도라고 생각했기 때문에, 정치학을 최고의 학문이라고 말한 동시에 정치학에 윤리학이 들어간다고 했습니다. 그래서 아리숑 또틀려쑤 교수는 알렉산더 대왕이 죽은 후, 아테네에서 쫓겨난 아리스토텔레스가 어디에도 속하지 못하고 혼자 방랑했던 것을 이상하다고 생각했던 것입니다.

둘째로 행복하고 싶으면 중용의 덕을 가지라는 것은 마음을 잘 다스려야 행복할 수 있다는 뜻입니다. 마음을 잘 다스려 행복을 구할 수 있는 구체적인 방법으로 제시한 것이 바로 중용의 덕입니다. 중용이란 극단으로 치우치지 않고 이성에 따라 자신의 능력을 조화롭게 발휘하는 것입니다. 욕구나 감정에 좌우되는 것이 아니라, 이성에 의해 아는 것과 실천하는 것을 일치시킬 때 행복할 수 있습니다. 아는 것과 실천하는 것을 일치시킨다는 것은 아는 대로 행동하는 것입니다. 중용의 덕이 어려운 말로 들리지만, 사실 누구나 다 아는 것입니다. 너무 지나쳐도 안 되고 너무 모자라서도 안 되고, 중간이 딱 좋다는 것이에요.

일례로 용기는 좋은 것이지만, 용기도 지나치면 해가 됩니다. 이것을 만용이라고 하죠. 만용은 무모하다는 뜻입니다. 물론 용기가 부족한 것도 나빠요. 용기가 부족하면 비겁한 것이 됩니다. 긍지도 중용의 덕이에요. 긍지가 지나치면 교만하게 되고요, 긍지가 부족하면 비굴하게 되거든요. 한 가지만 더 예를 들겠어요. 절약은 중용의 덕이에요. 절약 또한 지나치면 인색이 되고, 절약이 부족하면 낭비가 됩니다.

이제 중용의 덕이 무엇인지 이해하겠죠? 충동과 감정을 억제해서 어느 쪽으로도 치우침이 없도록 하는 것이 중용입니다. 그래서 아리스토텔레스가 자살을 했다는 소문은 그가 일관되게 주장했던 중용의 덕을 생각할 때 이상하게 여겨질 수 있어요.

2

양피지 두루마리의 비밀

제비 한 마리가 왔다고 봄이 되는 것은 아니며,
하루의 실천으로 행복한 사람이 되는 것은 아니다
−아리스토텔레스−

아리스토텔레스의 죽음을 추적하고 있는
아리슝 또틀려쑤가 들고 온 양피지 두루마리!
이 두루마리와 알렉산더 대왕, 아리스토텔레스,
그리고 보물은 어떤 관계일까?
낡은 양피지 두루마리에 숨겨진 사연이
너무너무 궁금해!

① 알려지지 않은 이야기 1
〈기원전 323년 바빌론〉

한낮에 머리 위에서 이글거리던 태양. 시간이 지나면서 힘이 점점 빠진 태양이 유프라테스 강을 붉게 물들이면서 서서히 지고 있었다.

헤라클레이데스는 알렉산더 대왕의 명령으로 길고도 먼 출장을 갔다가 돌아오는 길이었다. 헤라클레이데스는 걸음을 멈추고 잠시 강을 바라보면서 생각에 잠겼다.

'아, 얼마 만에 보는 유프라테스 강인가!'

가까이서 보면 그리 아름다운 색은 아니었다. 그렇지만 먼 길에서 돌아온 헤라클레이데스의 눈에는 아름다워 보였다.

그렇게 감상에 빠진 것도 잠시였다. 다시 빠른 걸음으로 강에서 조금 떨어져 있는 바벨탑으로 향했다.

바벨탑은 200년 전 페르시아가 바빌론에 쳐들어왔을 때 완전히 부서졌다. 알렉산더 대왕은 이제라도 부서진 바벨탑을 다시 쌓으려고 했지만, 결국 포기할 수밖에 없었다. 계속되는 전쟁 때문에 힘들었던 것이다. 쌓다 만 바벨탑은 왠지 으스스하게 보이기까지 했다. 그러나 알렉산더 대왕은 유프라테스 강에 올 때마다 바벨탑에 올랐다. 그래

서 헤라클레이데스는 도착하자마자 제일 먼저 바벨탑으로 향했던 것이다.

'역시, 오늘도 저기 계시는군.'

쌓다가 만 바벨탑에 오른 알렉산더 대왕이 유프라테스 강을 바라보고 있었다.

발자국 소리를 듣고 알렉산더 대왕이 몸을 돌렸다.

"아, 헤라클레이데스!"

그를 본 알렉산더 대왕이 뛰어왔다.

"나의 충신, 헤라클레이데스! 그대를 오랫동안 기다렸네!"

활짝 웃으며 맞이하는 알렉산더 대왕 앞에, 헤라클레이데스가 무릎을 꿇고 엎드려 인사했다.

"저의 주군, 위대한 알렉산더 대왕이시여, 경배를 받으소서!"

"하하하. 그래, 아테네엔 잘 다녀왔소?"

웃고 난 알렉산더 대왕이 물었다. 그를 내려다보는 두 눈에는 궁금증이 가득했다. 헤라클레이데스가 주위를 둘러보았다. 아무도 없는 것을 확인한 그는 벌떡 일어나서 알렉산더 대왕에게 말했다.

"네, 전하. 명령하신 대로 카스피 해로 가는 척하다가 길을 바꾸어 아테네로 갔습니다. 아무도 눈치 채지 못 했을 겁니다."

알렉산더 대왕은 다른 사람들에게는 분명히 헤라클레이데스를 카

스피 해로 보냈다고 했다. 그런데 둘만의 비밀이 있었던 것이다. 알렉산더 대왕은 더욱 안절부절못하며 입을 열었다.

"아리스토텔레스는? 그는 어떻게 되었나?"

"아리스토텔레스 선생은 이렇게 말했습니다. '사랑하는 제자, 알렉산더 대왕을 위해 기꺼이 그렇게 하리다' 하고 말입니다."

말을 끝낸 헤라클레이데스는 모자가 달린 긴 외투의 소맷자락에서 양피지 두루마리를 꺼냈다. 그것을 받아서 펴 본 알렉산더 대왕은 크게 웃기 시작했다.

"이제 됐어. 하하하, 하하하하. 마케도니아여, 영원하라!"

그날 밤, 헤라클레이데스를 환영하는 잔치가 벌어졌다. 기분이 좋았던지 알렉산더 대왕은 술을 많이 마셨고, 잔치는 새벽이 되어서야 끝났다.

다음 날, 해가 높이 떴을 때까지 알렉산더 대왕은 일어나지 못했다. 알렉산더 대왕을 진찰한 의사가 나오자, 헤라클레이데스가 물었다.

"그게 어찌된 일이오? 알렉산더 대왕께서 대체 무슨 병에 걸리셨단 말이오?"

"대왕의 몸이 불덩이 같습니다. 말라리아에 걸린 것 같습니다."

그리고 열흘이 지났다. 알렉산더 대왕은 영원히 자리에서 일어나지 못했다. 알렉산더 대왕이 세상을 떠난 후, 그의 나라 마케도니아도 네 조각으로 갈라져서 무너지기 시작했다.

　그 후 알렉산더 대왕이 아리스토텔레스에게 받은 양피지 두루마리
는 어느 누구도 본 사람이 없었다.

② 알려지지 않은 이야기 2
〈1913년 바빌론 발굴 현장〉

그로부터 2236년이 지난 1913년이었다. 이젠 흔적도 없이 사라진 바빌론의 터에 독일 사람들이 부산하지만 조심스럽게 움직이고 있었다. 유명한 독일 고고학자 콜데바이 박사가 몇 년째 바빌론 유적을 발굴하는 중이었다.

그날도 콜데바이 박사는 여느 때처럼 아침 일찍 일어나서 유프라테스 강가로 나갔다. 그러고는 조용히 흐르는 강을 바라보았다. 그러다 갑자기 긴 한숨을 푹 내쉬었다.

"후유, 몇 년째 파고 있는데……, 이 탑은 도대체 어디 숨어 있단 말인가! 고향이 그립구나. 고향의 맥주와 소시지가 그립구나, 쩝 쩝……."

　박사가 발굴단을 이끌고 이곳에 온 지도 벌써 5년이 흘렀다. 물론 5년 동안 여기저기를 파헤치면서 소득도 있었다. 그러나 가장 찾고 싶은 바벨탑은 어디에 숨었는지 머리카락 하나도 보이지 않았다.

　한숨만 푹푹 내쉬던 박사가 갑자기 자기 앞에서 조용히 흐르고 있 는 유프라테스 강에게 시비를 걸기 시작했다.

"어이, 유프라테스! 수천 년째 같은 자리를 흐르고 있으니 다 봤겠지? 그래, 넌 알 거야. 말해 봐. 어서 말해 보란 말야, 엉? 바벨탑은 어디 있는 거야?"

강이 말을 할 리가 없었다. 그런데 박사는 붉으락푸르락해서 큰 소리를 치기 시작했다.

"매일 쉬지 않고 여기저기를 팠다. 한데 엉뚱한 데를 파서 허탕만 쳤다. 그래도 꾹 참았다. 그러나 이젠 도저히 못 참겠다. 으악, 덤벼. 다 덤비란 말야!"

박사가 큰 소리로 떠들자, 발굴 대원들이 모두 뛰쳐나와 이 모습을 보게 되었다.

"대체 무슨 일이야?"

"강에 뭐가 있어?"

"아무것도 안 보이는데? 혼자 저러시는 거 아냐?"

"박사님! 괜찮으세요?"

그제야 사람들이 놀라서 자신을 보고 있다는 것을 깨달은 박사는 무안한 나머지 큰 소리로 웃으며 얼버무렸다.

"허허허, 괜찮아. 으음, 좋은 아침일세그려."

콜데바이 박사가 서둘러 자기 텐트로 돌아갔다. 그러자 대원들이 소곤거렸다.

"저러다가 박사님 미치시는 게 아닐까?"

"에끼, 이 사람. 그런 말 말게. 그냥 답답해서 저러시는 거겠지."

"그건 그렇고. 이렇게 샅샅이 뒤졌는데도 안 나오는데, 바벨탑이 정말 있기는 한 걸까?"

"쉿, 박사님 들으시면 어쩌려고 이러나. 자자, 가서 아침 준비나 하자고."

그런데 이 날 오후.

오전 발굴을 마친 콜데바이 박사가 점심을 먹고 나서 낮잠을 자고 있을 때였다.

"박사님, 박사님!"

깜짝 놀란 박사가 벌떡 일어났다.

"아니, 무슨 일인가? 아, 아깝다. 잘 구운 소시지 한입 먹으려던 참이었는데, 맛있고 아까운 꿈 깼네."

"지금 소시지가 문제가 아닙니다, 박사님. 우리가 바벨탑을 찾은 것 같습니다."

"뭐라, 뭐라고라!"

바벨탑은 정말 거대했다. 아니, 정확히 말하면, 남아 있는 바벨탑의 기초 부분이 정말 거대했다. 발굴단이 처음에 찾아낸 것은 글자가 새겨진 점토판이었다. 그런데 그것이 놓여 있던 곳이 바로 바벨탑의 기초 부분이었던 것 같았다. 콜데바이 박사는 곧바로 텐트로 들어가서 점토판에 새겨진 고대 바빌론 언어를 해석하기 시작했다. 며칠을 텐트에서 나오지도 않고 해석한 결과, 점토판에 새겨진 글자는 이런 내용이었다.

마르둑 신이 나에게 에테메난키의 기초를 지구 중심까지 닿도록 단단하게 만들라고 명령했다. 그래야만 하늘까지 오를 수 있는 건물을 만들 수 있다…….

여기서 '나'는 바벨탑 쌓기를 지시한 왕을 뜻했다. 그리고 '에테메난키'는 '건물'이라는 뜻으로 바벨탑을 말하는 것이다. 박사는 바벨탑의 높이가 90미터쯤이었을 것이라고 말했다. 아파트 높이로 따지면 40층 정도 되는 것이다. 탑을 쌓는 데 쓴 벽돌만도 8천5백만 개나 되었다고 한다.

그날 밤, 침대에 누운 콜데바이 박사는 잠을 잘 수가 없었다. 하늘을 향해 쌓이고 또 쌓여 가는 바벨탑의 모습이 눈앞에서 어른거렸기 때문이었다. 벽돌을 나르는 구릿빛 피부를 가진 노예들의 노랫소리도 귓전에서 쟁쟁 울리는 것 같았다.

뒤척이던 박사는 혼자 조용히 바벨탑 발굴 터로 나갔다. 휘영청 밝

은 달빛이 비추고 있었다.

"낮에 파헤치다 만 저 구덩이들이 마치 달빛을 향해 입을 쩍쩍 벌리고 있는 물고기의 입 같군."

박사는 중얼거리면서 주위를 살폈다.

"어라!"

달빛을 받은 한 구덩이 속에서 뭔가 삐죽 튀어나온 게 보였던 것이다.

'저게 뭘까?'

콜데바이 박사는 얼른 구덩이로 갔다. 자세히 살펴보았지만, 묻혀 있는 그것이 무엇인지 알 수가 없었다.

"수천 년을 묻혀 있던 것이라 당장 잡아 뽑았다가는 부서질지도 몰라."

혼잣말로 중얼거리던 박사는 버릇처럼 옆에 있던 작은 삽을 집어 들었다. 박사는 삽과 맨손으로 주변의 흙을 조심조심 파기 시작했다. 묻혀 있던 것이 조금씩 모습을 드러냈다.

얼마나 팠을까.

"아 아니, 이건!"

주변의 흙을 거의 다 파낸 박사의 눈동자가 놀란 부엉이처럼 커졌다.

"그래, 그거 같지만, 혹시 아닐 수도 있어."

중얼거리던 박사의 손놀림이 점점 빨라졌다.

마침내 휘영청 밝은 달빛에 묻혀 있던 그것의 정체가 드러났다.

"아!"

탄성을 지른 콜데바이 박사의 눈동자가 파르르 떨렸다. 박사는 잡고 있던 삽을 툭 떨어뜨렸다.

그것은 바로 낡은 양피지 두루마리였다.

③ 다시 나타난 양피지 두루마리

화장실에 다녀온 아리숑 교수는 자기가 가지고 온 양피지 두루마리에 대한 이야기를 하기 시작했다.

"이걸 발견한 곳은 파리의 유명한 벼룩시장인 클리냥쿠르였어요. 5년 전이었지요. 그때 나는 아리스토텔레스의 죽음과 관련해서 연구를 하고 있었답니다. 아까 말했지만 중용의 덕을 강조한 아리스토텔레스가 독약을 마시고 자살을 했다는 건 너무 이상한 일이었어요. 중용은 어쩌다 생겼다가 다시 없어졌다가 하는 게 아니라, 오랫동안 실천해서 결국에는 몸에 밴 습관처럼 되는 거니까요. 아리스토텔레스가 예순두 살의 나이로 죽었으니까, 그때쯤에는 벌써 절망, 분노, 두려움과 같은 감정들을 잘 다스리는 중용이 몸에 배도 엄청 배었을 거라고요. 그날도 그런저런 생각으로 골몰해 있을 때였는데, 벼룩시장에 좀 이상한 할아버지 한 분이 계셨어요."

오줌이 마려웠지만, 나는 화장실을 갈 생각도 잊고 꼼짝 않고 앉아 아리숑 교수가 하는 이야기에 푹 빠져 있었다. 게다가 다리에 찡찡 전기가 오는 것 같았다. 나는 저린 다리를 쭉 펴고 엄지와 검지로 쿡쿡 눌렀다. 그리고 다른 한 손으로는 콧등에 계속 침을 찍어 발랐다. 옆을 슬쩍 보니, 류팽도 콧등에 계속 침을 바르고 있었다.

아리숑 교수는 뭐 하는 짓이냐는 표정으로 우리를 바라보았다.

"아, 죄송해요. 다리가 저려서요. 한국에서는 다리가 저릴 때 이렇게 콧등에 침을 바르면서 야옹야옹하거든요, 하하하."

류팽이 대답했다.

나는 아리숑 교수의 이야기를 끊은 게 미안해서 뒷머리를 벅벅 긁으면서 씨익 웃어 보였다.

"고만파 박사님, 뤼팽 군. 두 분 다 이쯤에서 화장실엘 다녀오시는 게 좋겠는데요?"

아리숑 또틀려쑤 교수의 배려에 꾸벅 인사를 하고 벌떡 일어나기는 했는데, 우리 두 사람은 저린 발이 아려서 어기적어기적 화장실로 갔다.

우리는 화장실에서 나와 다시 자리를 잡았다. 류팽이 입을 열었다.

"벼룩시장이라고 하셨지요? 우리나라에도 벼룩시장 있어요. 서울에 가면 황학동이라고 있거든요? 거기에 유명한 벼룩시장이 있죠. 진짜 골동품도 있다고요. 물론 가짜가 더 많지만."

'황학동? 류 군은 아직 모르는 모양이네. 거기 벼룩시장은 없어진 지 1년도 넘었는데 말이야. 나중에 말해 줘야겠군. 청계천을 다시 흐르게 하려고 황학동 일대가 다 철거되었지.'

내가 이런 생각을 하고 있을 때, 아리숑 교수가 입을 열었다.

"그렇군요. 파리의 클리냥쿠르 벼룩시장도 아주 유명해요. 잘만 고르면 진귀한 물건을 아주 싼값에 살 수도 있지요. 한데 그날 좀 이상한 할아버지가 벼룩시장에 앉아 계셨어요. 수염이 길고 머리엔 큰 모자를 쓰고 계셔서 얼굴이 잘 보이지 않았지요. 그런데 그 할아버지가 물건을 달랑 한 개만 가지고 나오셨더란 말이죠."

"아, 그럼 그 물건이 바로 이 양피지 두루마리?"

내가 묻자 아리숑 교수가 고개를 끄덕였다.

"맞아요. 게다가 둘둘 말려 있어 겉으로 봐서는 도대체 무엇인지 알 수 없었죠. 사람들은 할아버지에게 별로 관심이 없었어요. 앞에 둔 물건이 무엇인지 묻는 사람도 없었고요."

"그런데 교수님께서는 그것이 무엇인 줄 알고 사신 거예요?"

류팽이 양피지 두루마리에 쓰인 글씨를 보면서 물었다. 류팽은 그 것이 무슨 글인지 모르는 것 같았다. 내가 대충 보니 고대 그리스어 같았다. 희미해서 무슨 글씨인지는 잘 읽히지 않았다.

"나는 그때 무엇을 특별히 사려고 간 것은 아니었고, 아리스토텔 레스의 연구에 골몰하다가 머리를 좀 식히려고 나간 것뿐이었어요. 그래서 그랬는지 벼룩시장에 있는 다른 어떤 물건이나 사람보다도 그 할아버지가 무척 재미있게 느껴졌어요. 그래서 얘기를 건네 보 고 싶었죠. 그런데 할아버지가 먼저 나에게 말을 거신 거예요."

"뭐라고 하시던가요?"

어찌나 이야기가 흥미진진했던지, 우리는 누가 먼저랄 것도 없이 합창하듯 물었다.

"호호호, 재미있어요? 저도 그래요. 할아버지는 한동안 저의 모양 새를 훑으시더니, '철학 하우?' 하고 물으신 거예요. 그 말을 듣고 어찌나 놀랐던지, 내가 생긴 게 철학 하는 사람처럼 생겼나요?"

"이야, 그 할아버지 도사네. 어찌 아셨을까? 그래서요?"

류팽이 끼어들었다.

"그러더니 나에게 가까이 오라는 거예요. 그래서 갔죠. 그랬더니 손을 내미시는 거예요. 그러고는 '오십 프랑만 내' 하시더군요. 그

때는 유로가 아니라 프랑이었거든요."

들고 있던 류팽이 내 옆구리를 쿡쿡 찌르더니 소곤소곤 물었다.

"박사님, 오십 프랑이면 우리 돈으로 얼마예요?"

나도 얼른 암산을 해서 소곤소곤 대답했다.

"만 원쯤 된다네."

아리숑 교수는 우리가 그러는 게 재미있는지 웃었다.

"그래요. 그래서 뒤져 보니 내 주머니에는 딱 오십 프랑이 있었어요. 나도 참 이상했지요. 할아버지한테 별다른 이유도 묻지 않고, 달라는 대로 순순히 오십 프랑을 모두 주고 물건을 받았으니까. 그

때는 정말 무엇엔가 홀린 것 같았답니다. 지금 생각해 보니 정말 이상하네."

말을 하면서도 이상한지 아리숑 교수는 고개를 갸우뚱거리고는 말을 이었다.

"그 길로 집에 와서 양피지 두루마리를 펴 든 순간, 나는 깜짝 놀랐죠. 내가 고대 그리스 철학이 전공이라고 말했던가요? 두루마리에는 고대 그리스어가 잔뜩 쓰여져 있었어요. 자, 보세요. 이것이 고대 그리스어예요."

나는 그리스어에 그다지 능통하지는 못했다. 알파벳만 뜨문뜨문

읽는 정도였다. 그런데 아리송 교수가 가리킨 양피지 두루마리의 제일 위에 쓰여 있는 단어는 눈에 익어 확 들어왔다.

"아니, 이건! 알렉산더?"

고개를 끄덕이는 아리송 교수가 이번에는 검지로 제일 아래쪽에 쓰여진 단어를 가리켰다. 그것도 읽기에 쉬운 단어였다.

"음, 아리스으! 아리스토텔레스?"

양피지 두루마리에 알렉산더 대왕과 아리스토텔레스의 이름이 적혀져 있는 것을 본 순간, 내 심장이 쿵쾅쿵쾅 빠르게 뛰었다.

잠시 침묵이 흘렀다. 또다시 벽난로에서 장작이 타는 소리만이 들렸다.

"탁탁 타닥……."

나는 놀란 입을 다물지 못하고, 아리송 교수만 보고 있는데, 팽이 물었다.

"이것은 편지로군요! 아리스토텔레스가 알렉산더 대왕에게 보낸 편지예요, 그렇죠?"

고개를 끄덕인 아리송 교수가 대답했다.

"그래요, 편지예요. 아리스토텔레스가 알렉산더 대왕에게 보낸 편지예요. 수천 년 동안 여기저기를 떠돌다가 파리의 벼룩시장에 나타난 거지요. 그리고 감사하게도 아리스토텔레스를 잘 아는 내 손에 들어오게 되었고요. 단돈 오십 프랑에 말이죠."

나는 정신을 차리고 아리숑 교수에게 물었다.

"물론 편지의 내용을 다 읽어 보셨겠죠? 그럼 혹시 바빌론의 보물에 대해 적혀 있지 않던가요?"

아리숑 교수는 다시 양피지 두루마리 한쪽을 검지로 집었다. 손가락이 가리키는 곳에는 데사우루스(θεσαυρυσ)라고 쓰여 있었다.

'데사우루스? 영어로 트레저(treasure)! 아, 보물이 아닌가! 세상에, 우리의 짐작이 맞았던 것이다!'

내 입이 다시 쩍 벌어졌다.

벌떡 일어난 류팽이 큰 소리로 물었다.

"아리숑 교수님! 그래서요? 보물이 어디에 있대요? 그리고 그 보물이 뭐죠? 이야, 정말 보물이 있었어, 보물이!"

류팽은 흥분해서 자리에 가만히 앉아 있지 못했다. 아리숑 교수에게 계속 질문을 퍼부었다. 그 바람에 나와 아리숑 교수도 정신이 없었다.

"뤼팽 군! 에그 정신없어요. 앉아서 내 얘기를 끝까지 들어 보세요. 그래서 나는 수업 시간에 졸던 뤼팽 군이 갑자기 일어나 '아리스토텔레스와 보물'이라고 한 말에 귀가 번쩍 뜨였던 거예요. 나도

여러분의 도움이 필요해요. 내가 이 편지를 해석한 걸 보여 줄게요. 오늘은 늦었으니까, 내일 다시 만나죠. 그때 해석한 걸 복사해서 가지고 오겠어요."

 이렇게 해서 우리는 아리스토텔레스와 보물에 한층 더 가까이 다가가게 되었다. 편지에는 도대체 어떤 내용이 담겨져 있을까? 그날 밤에도 우리는 잠을 이루지 못했다.

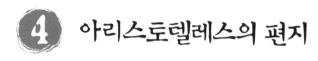

아리스토텔레스의 편지

다음 날 저녁, 우리는 다시 내가 머무는 집에 모였다. 아리송 교수는 약속대로 양피지 두루마리에 쓰여진 아리스토텔레스의 편지를 해석하여 복사해 왔다. 나는 특별한 저녁 식사를 만들었다. 메뉴는 고구마 퐁듀. 한국의 부모님으로부터 햇고구마 한 상자를 받은 것이 남아 있었기 때문이다. 벽난로에 구워 먹는 고구마는 정말 맛있었다. 구수한 군고구마 냄새가 거실 가득 퍼졌다. 치즈를 녹인 냄비를 가운데 두고 우리는 벽난로 앞에 모여 앉았다. 고구마 껍질을 벗기자, 노랗게 잘 익은 속살이 드러났다. 김이 모락모락 오르는 속살을 치즈에 푹 담갔다가 꺼내 먹는 맛이란 정말 환상적이었다.

"으음, 원더풀! 너무너무 맛있어요!"

아리숑 교수는 처음 맛보는 한국 고구마의 달콤하고 구수한 맛에 흠뻑 반한 듯했다.

"허허허, 맛있다니 감사합니다. 요렇게 속이 노랗고 달콤해서 우리는 이런 고구마를 밤고구마라고 부른답니다. 참, 목이 메일 땐 이걸 드세요."

유리그릇에 담아 내민 것은 바로 동치미 국물이었다. 시범 삼아 내가 먼저 한 모금 마셨다. 냉장고에 꽁꽁 얼려 두었던 것을 꺼내 녹여서인지 살얼음이 살짝 씹히는 게 아주 시원했다.

"이야, 이거야말로 국제적인 조화네요. 고구마 퐁듀에 동치미 국물이라……, 두고두고 이 식사가 생각나겠네요. 아주 잘 먹었어요, 고 박사님!"

류팽이 감동한 듯 말했다. 배부른 돼지보다 차라리 배고픈 소크라테스가 되겠다고 누군가는 말했다지만, 맛있는 식사를 알맞게 먹는 것도 사람을 행복하게 하는 것들 가운데 하나일 것이다. 그런데 요즘 사람들은 다이어트다 뭐다 해서 너무 굶고 산다. 사실 그렇게 굶다 보면, 먹을 것밖에 생각나지 않을 텐데.

"이렇게 저녁 식사를 맛있게 먹고 나니 행복하다는 말이 절로 나오는군요. 안 그러세요?"

'음, 아리숑 교수도 나처럼 행복하다고 생각하는군. 행복이라, 행복……. 아, 아리스토텔레스!'

이런 생각을 하며 내가 입을 열었다.

"행복이란 말을 떠올리니까 아리스토텔레스가 생각나네요. 아리숑 교수님, 이제 아리스토텔레스가 쓴 편지를 볼까요?"

"네, 어서요. 아유, 어떤 말이 쓰여 있을지 엄청 궁금해요. 고 박사

님도 그렇죠? 배가 부르고 나니 편지가 궁금하고, 그리고 또……."

"먹을 때는 조용하더니, 허허허."

"궁금한 거는 무조건 물어야죠. 잊기 전에 말예요. 그게 공부하는 사람의 자세잖아요. 안 그래요, 아리숑 교수님?"

이러는 우리를 본 아리숑 교수가 빙긋이 웃었다. 그러고는 이야기를 시작했다.

"두 분처럼 알렉산더 대왕과 아리스토텔레스는 사이좋은 선생님과 제자였어요. 어느 정도였냐 하면, 알렉산더 대왕은 전쟁을 하러 나갔을 때도, 처음 보는 식물이나 동물을 발견하면 아리스토텔레스에게 보냈다고 해요. 아리스토텔레스는 세상의 모든 식물과 동물을 종류별로 나누는 연구를 했거든요. 물론 아리스토텔레스도 알렉산더 대왕에게 잘 대해 주었죠. 전쟁터에 있는 알렉산더 대왕에게 편지를 써서 격려했다고 하니까요."

"아, 그렇군요. 저는 알렉산더 대왕에게 그런 다정한 면이 있다는 건 처음 알았어요. 늘 전쟁만 하는 거친 사람인 줄 알았거든요. 류군, 잘 들었지? 알렉산더 대왕을 잘 본받게. 그래서 어디를 가서든 처음 보는 보물을 발견하면 꼭 나한테 보내야 하네. 나도 자네에게 편지를 써서 보내 줄 테니까."

내 우스갯소리에 류팽이 대답했다.

"박사님, 어째 제가 손해 보는 거 같은데요, 하하하."

"호호호."

"허허허."

시원하게 한껏 웃었다.

잠시 후, 아리숑 교수가 준 해석을 받아 든 우리는 진지한 표정으로 편지를 살피기 시작했다. 편지의 전체 내용은 다음과 같다.

　사랑하는 알렉산더 전하

　헤라클레이데스가 아테네에 있는 저를 찾아와서 전하의 부탁 말씀을 전했습니다. 마케도니아를 적들에게서 영원히 보호할 수 있는 '절대무기'를 만들라고 하신 말씀을.

　저는 전하의 명령을 받들어 밤낮으로 연구한 끝에 그것을 만들어 냈습니다. 그리고 '바빌론의 보물'이라고 이름 붙였습니다. 그러나 어리석은 자들의 손에 들어갈 것이 걱정이 되어 전하만이 찾으실 수 있도록 숨겨 두었습니다. 모든 답은 제가 가르쳐 드린 것 안에 있습니다. 그것을 모르면 보물이 앞에 있어도 알 수가 없습니다. 어리석은 자들은 눈이 있어도 보물을 보지 못할 것입니다.

사랑과 믿음을 담아서

아리스토텔레스 올림

☆ 행복의 바다에 4개의 보름달이 뜨면, 4개의 문이 열리고, 형상은 질료 속에 있다.☆

"행복의 바다라니요? 그 옛날에 이런 이름의 바다가 있었나요?"

편지를 다 읽고 난 뒤에 류팽이 물었다.

고고학을 공부하는 나도, 고대 그리스 철학을 공부하는 아리숑 교수도, '행복의 바다'는 처음 들어 보는 이름이었다.

"행복의 바다는 아무래도 암호인 것 같아요. 저도 그동안 많은 문서와 지도를 찾아보았지만, 그런 이름의 바다는 없었거든요. 만약 암호라면, 짚이는 데가 있긴 해요."

아리숑 박사의 대답에 우리의 눈은 놀란 황소처럼 커졌다.

"짚이는 곳이 있다고요?"

"거기가 어디예요?"

우리가 묻자, 아리숑 박사는 잠시 숨을 가다듬고 대답했다.

"음, 아리스토텔레스가 행복을 무엇이라고 했는지 기억해요?"

"그럼요! 중용을 실천하는 게 습관처럼 몸에 배면 행복할 수 있다고 했잖아요."

역시 철학과 학생답게 류팽은 한 번만 듣고도 잘 기억했다.

"오호, 철학과 학생답군요. 좋아요. 말이 나온 김에 조금 더 쉽게 다시 한 번 설명을 해 주고 싶어요. 왜냐하면, 보물을 숨겨 둔 장소를 찾기 위해서는 아리스토텔레스가 만든 암호를 풀어야 하잖아요. 그런데 모든 답은 아리스토텔레스가 가르쳐 준 것 안에 있다고 했으니까, 아리스토텔레스의 철학에 대해서 자세히 알아야 한다고 생각해요. 고만파 박사님과 뤼팽 군의 생각은 어때요?"

"흠, 그렇군요. 좋아요, 이거 유명하신 교수님께 공짜 수업을 듣게 되는군요, 허허허."

머리카락을 쓱쓱 쓸어 넘기며 미안해 하는 나에게 아리송 교수가 말했다.

"오, 노! 미안해 하지 마세요. 박사님이 만들어 주신 맛있는 저녁 식사에 뭔가 나도 보답을 할 수 있어서 아주 기뻐요."

이렇게 해서 우리는 아리숑 교수가 아주 쉽게 풀어 주는 아리스토 텔레스의 철학 이야기를 들었다. 그 암호는 무슨 뜻일까? 궁금한 우 리는 늦은 밤까지 자리를 뜰 수 없었다.

철학 돋보기

　'한 마리의 제비가 왔다고 봄이 되는 것은 아니며, 하루의 실천으로써 행복한 사람이 되는 것은 아니다.' 아리스토텔레스의 명언입니다. 행복하려면 중용의 덕을 가져야 한다고 했어요. 그런데 중용의 덕을 어쩌다 하루 실천했다고 행복해진다면 행복이 너무 쉬워지고, 또 쉬운 만큼 행복의 가치가 떨어지겠죠?

　중용의 덕은 매일 실천해서 몸에 배일 정도가 되어야 행복할 수 있다고 합니다. 마치 우리가 아침에 일어나서 양치질하고 세수하는 것이 습관으로 몸에 배인 것처럼요. 아침에 일어나면 자동적으로 욕실에 가서 양치질을 하고 세수를 하게 되잖아요.

　중용의 덕도 마찬가지예요. 어떻게 할까 갈등하고 고민하면서 억지로 중용의 덕을 실천해서는 행복을 얻기에 부족해요. 갈등하고 고민하는 것 없이 자동적으로 중용의 덕을 실천할 수 있는 정도가 되어야 행복을 얻을 수 있답니다.

　그런데 이 중용의 덕은 혼자 살아가는 인간에게는 필요하지 않다고 해요. 아리스토텔레스는 혼자 살아갈 수 있는 인간은 야수나 신이라고 했거든요. 중용의 덕은 국가 속에서 인간이 도덕적으로 살아가는 데 필요합니다. 중용의 덕을 실천하며 국가 속에서 도덕적으로 살아가는 인간이 행복할 수 있다는 것입니다. 그래서 국가는 한 사람이나, 소수의 몇몇 사람을 위한 것이 아닙니다.

국가는 다수의 사람들을 위한 것입니다. 더 정확하게 이야기하면, 국가는 다수의 사람들의 행복을 위해 있는 것입니다. 아리스토텔레스는 당시의 정치가 시민들의 참여로 이루어진 만큼, 시민이 지배하는 국가가 최선의 형태라고 생각했어요.

당시의 시민은 오늘날로 말하자면 중간 계층입니다. 오늘날은 누구나 다 시민이지만, 그 당시에는 남자, 그것도 노예를 부리고 있어서 직접 일하지 않아도 될 만큼 재산이 넉넉한 사람만을 시민이라고 했습니다. 그래서 아리스토텔레스는 중간 계층의 숫자가 매우 많아야 한다고 주장했고, 부가 특정한 사람에게 집중되는 것을 막아야 한다고 했습니다.

사유재산제도를 지지했지만, 일하지 않고 학문을 연구하며 정치에 참여할 수 있을 만큼만 재산을 가져야 하고, 그 이상의 재산을 넘치게 가지는 것은 반대했어요.

어때요. 아리스토텔레스의 주장이 오늘날에 맞는 것도 있고, 그렇지 않은 것도 있죠? 재산이 있는 남자만 정치에 참여할 수 있다는 것은 불평등합니다. 그러나 재벌과 같은 소수의 사람에게 재산이 집중되는 것을 반대하는 아리스토텔레스의 주장에는 우리도 쉽게 동의가 돼요. 그렇죠?

그러나 우리가 가장 중요하게 배워야 할 것은 국가가 우리의 행복을 위해 있다는 것, 그리고 우리는 국가 속에서 도덕적으로 살아갈 때 행복할 수 있다는 것입니다. 도덕적으로 살기 위한 최고의 방법이 바로 중용입니다. 때문에 행복하기 위해서는 중용의 덕을 실천해야 합니다. 아는 대로 실천하며 살아가는 사람이 가장 행복한 사람이랍니다.

아리스토텔레스의
암호를 풀어라

행복하고 싶거든 덕에 의한 생활을 하라
덕(德)은 지(知)와 의지(意志)와 인내(忍耐)로 구성되고,
덕은 중용(中庸)을 지키는 데 있다
덕을 실천하는 사람, 덕을 생활 속에 베푸는 사람,
그런 사람에게 행복이 따른다
－아리스토텔레스－

아리스토텔레스가 양피지 두루마리에
적어서 알렉산더 대왕에게 보낸 편지.
거기에는 엄청난 보물을 숨겨 놓은 장소가
암호로 쓰여 있다.
나와 류팽, 그리고 아리숑 교수는 과연
암호를 풀고 보물을 찾을 수 있을까?

① 행복의 바다

양피지 두루마리에 쓰여 있는 것은 놀랍게도 아리스토텔레스가 알렉산더 대왕에게 보낸 편지였다. 그것도 알렉산더 대왕의 부탁으로 만든 바빌론의 보물을 숨겨 놓은 곳을 알려 주는 암호 편지였다.

☆ 행복의 바다에 4개의 보름달이 뜨면, 4개의 문이 열리고, 형상은 질료 속에 있다. ☆

'도대체 이 암호는 무슨 뜻일까? 해답은 아리스토텔레스가 가르

쳐 준 것 안에 있다고 했다. 철학이 이렇게 긴장되고 흥미로운 것이 었다니!'

긴장된 분위기 속에서 아리숑 또뜰려쑤 교수는 아리스토텔레스의 철학에 대한 이야기를 시작했다.

"암호문의 처음이 '행복의 바다'로 시작하니까, 행복에 대해서 먼저 얘기를 해야겠어요."

"행복이요? 저희와 처음 만나셨을 때도 행복에 대해 말씀하셨죠? '행복하고 싶으면 중용의 덕을 가져라!' 아리스토텔레스의 말이잖아요, 그렇죠?"

"맞아요! 류팽 군, 잘 기억하고 있군요. 이럴 때 가르치는 보람을 느끼죠, 호호호. 이제 조금 더 자세하게 설명해 줄게요."

"어서요, 어서! 빨리 듣고 싶어요. 아휴, 저도 철학을 공부하는 건데 그랬어요. 이럴 땐 아쉽고 후회가 되네요, 쩝쩝……."

입맛을 다시는 나를 본 아리숑 교수는 뿌듯한 표정을 짓더니 행복에 대한 이야기를 이어갔다.

"아, 이럴 때 정말 철학을 공부한 보람이 느껴집니다. 좋아요! 더욱 힘을 내서 설명해 드릴게요. 이 말을 기억하죠? '인간은 사회적 동물이다'!"

말을 마치고 잠시 우리의 반응을 살폈다. 우리가 기억하는지 못하

행복하고 싶거든 덕에 의한 생활을 하라!
덕(德)은 지(知)와 의지(意志)와 인내(忍耐)로 구성되고 덕은 중용(中庸)을 지키는 데 있다
덕을 실천하는 사람. 덕을 생활 속에 베푸는 사람. 그런 사람에게 행복이 따른다.
아리스토텔레스 ....

는지 살피는 것 같았다.

"삐! 네, 그건 '인간은 정치적 동물이다'에서 나온 말입니다. 아리스토텔레스는 인간이 함께 더불어 사는 게 중요하다고 했다죠?"

"네, 정답입니다, 고만파 박사님!"

아리송 교수가 계속 설명을 하려고 하는데 류팽이 알쏭달쏭한 표정으로 물었다.

"잠깐만요. 행복에 대해서 설명해 주신다고 하셨잖아요. 그런데 정치적 동물이란 말이 그것과 무슨 관계가 있어요?"

"날카로운 지적이에요. 사실 내가 지금 막 말하려고 했어요. 원래의 정확한 말은 '인간은 폴리스적 동물이다'예요. 폴리스는 아리스토텔레스가 살던 시대의 국가 형태이죠. 프랑스나 대한민국은 폴리스라는 나라에 비교하면 땅도 넓고 인구도 훨씬 많아요. 그런데 폴리스는 도시국가로 땅도 좁고, 인구도 적었어요. 그래서 직접민주주의가 가능했던 거죠."

"삐! 하하하, 직접민주주의와 간접민주주의는 제가 잘 알아요. 사회 시간에 늘 중요하게 배웠거든요. 모든 시민들이 직접 정치에 참여하면 직접민주주의, 시민들이 선거를 해서 뽑은 대표들이 정치를 하면 간접민주주의예요. 맞죠? 대한민국과 프랑스는 간접민주주의고요. 아, 그런데 이것이 행복과 무슨 관계가 있나요?"

류팽은 신이 나서 한참을 잘 설명하고는 다시 고개를 갸우뚱했다. 나도 마찬가지였다. 그래서 작은 소리로 중얼거렸다.

"행복을 설명하다가 왜 정치적 동물이라는 말을 꺼낸 것일까? 에이, 근데 자꾸 동물, 동물 그러니까 기분이 이상해지잖아. 흔히 '이 짐승!' 이라고 하면 무척 심한 욕이니까 말야."

아리숑 교수가 우리들의 헷갈려 하는 표정을 보고 서둘러 설명하기 시작했다.

"자, 아리스토텔레스가 '인간은 폴리스적 동물이다' 라고 한 말은,

그러니까 '인간은 국가를 세워서 정치를 하는 동물이다' 라는 말이에요. 그래서 요즘에는 아예 '인간은 정치적 동물이다' 라고 바꾸어 말하죠. 이 말은 인간은 국가, 혹은 공동체 속에서 비로소 인간이 될 수 있다는 뜻이에요."

"아니, 그럼 깊은 산속에서 도 닦는 스님은 인간이 아니란 말입니까? 동물이란 말도 기분이 좀 그런데, 인간이 아니면 뭡니까?"

내가 기분이 상해 무뚝뚝하게 물었다. 그러자 아리송 교수는 당황스러운지 겸연쩍게 웃으며 대답했다.

"호호호. 고만파 박사님, 설마 아리스토텔레스가 욕하는 뜻으로 동물이라고 했겠어요? 식물이 아니고 동물이란 뜻이겠지요. 그렇지만 사회에 속하지 않고 혼자 사는 인간에 대해서는 좀 심하게 얘기를 했어요. 아리스토텔레스는 혼자서 살 수 있고, 국가가 전혀 필요 없는 인간은 야수나 신이라고 했죠. 그래서 '인간은 사회적 동물이다' 라는 말이 나온 거예요. 그가 말한 혼자 사는 인간이란, 사막에서 혼자 고행하는 고행자나 산속에서 혼자 도를 닦는 스님들하고는 다르답니다. 그러니 고 박사님이 기분 나빠 하실 건 없지요?"

"흐음. 그렇군요. 하긴 내가 기분 나쁠 이유는 없네요, 허허허……"

나는 아리송 교수가 열심히 설명을 해 주는데 속 좁게 삐쳤던 것이

오히려 창피했다. 그런데 옆에서 열심히 듣고 있던 류팽이 뭔가를 골똘히 생각하더니 무릎을 탁 치며 말했다.

"아, 이제 알겠어요. 인간은 사회적 동물이라는 말과 행복이 무슨 상관인지 말이에요. 인간이 사회 속에서 비로소 인간이 될 수 있다는 말은 바로!"

"바로?"

'으응? 무슨 소리들이지?'

나는 아리송한데, 류팽과 아리숑 교수는 뭔가 통하는 것 같았다.

"바로 인간은 사회 속에서 행복할 수 있다는 것을 나타내요!"

"……."

류팽의 말에 동의하듯 아리숑 교수가 고개를 끄덕였다. 류팽이 가장 중요한 핵심을 깨달은 것 같았다.

'인간은 사회 속에서 행복할 수 있다? 야, 빨리도 이해를 했네.'

나는 속으로 감탄을 했지만, 이해는 잘 안 되었다.

"그래요, 잘 이해했군요. 아리스토텔레스는 인생의 궁극적인 목적이 행복이라고 했어요. 그런데 행복은 많이 알고, 나아가 아는 것을 실천해야 얻을 수 있다고 했어요. 물론 한두 번 실천한다고 해서 행복해지지는 않죠. 이와 관련해서 아리스토텔레스가 유명한 말을 남겼답니다."

"'인간은 사회적 동물'이라는 말 외에 또 유명한 말이 있나요?"

'다른 사람들은 역사에 한 마디 남기기도 힘이 드는데, 아리스토텔레스는 참 많이도 남겼구나.'

나는 그가 정말 대단하다는 생각이 들었다.

"네, 유명한 말을 참 많이 남겼지요. 자, 들어 보세요. '제비 한 마리가 왔다고 봄이 되는 것은 아니며, 하루의 실천으로 행복한 사람이 되는 것은 아니다'."

'하, 그거 말 되네. 제비 한 마리가 보인다고 봄이 온 것은 아니듯이 단 하루, 아는 대로 실천했다고 행복한 사람이 되는 것은 아니란 말이다.'

나는 멋진 말이라고 생각했다.

"아리숑 교수님, '아는 것을 실천한다' 는 건 무슨 뜻이지요?"

류팽은 거기에서 막히는 것 같았다. 나는 모처럼 이해가 되는 부분이라서 나서서 말하고 싶었다.

"아, 그건 제가 대답할 수 있어요. 예를 들면, 공중도덕을 지켜야 한다는 것을 모두 알고 있어요. 그렇지만 아는 대로 실천하나요? 지하철에서 크게 휴대전화를 받고, 또 함부로 껌도 뱉고, 침도 뱉죠. 담배도 아무 데서나 피우고요. 심하면 아무 데나 오줌도 누잖아요. 음, 또 뭐가 있을까요?"

"이런 것도 있어요. 인정이 뭔지 알면, 아는 대로 실천을 해야겠죠. 남에게 너무 인색하게 굴어서도 안 되지만, 그렇다고 지나치게 베풀어서 낭비가 되도 안 되겠죠. 이런 게 아는 걸 실천하는 것이에요."

"아, 그런 뜻이군요? 이제 알겠어요."

류팽이 고개를 끄덕였다. 그 모습을 본 아리숑 교수는 씽긋 웃고 이어서 설명했다.

"그게 바로 덕이고, 선한 거예요. 그런데 아리스토텔레스는 덕 있고 선하게 살려면 국가가 있어야 한다고 했어요. 국가 속에서 덕을 베풀면서 살 수 있고, 덕을 베풀면서 사는 것이 행복이니까, 국가

인간은 사회적 동물이며 정치적 동물이다.
제비 한 마리가 왔다고 봄이 되는 것은 아니며……
하루의 실천으로 행복한 사람이 되는 것은 아니다.

속에서 행복을 얻을 수 있다는 말이죠. 그러므로 인간은 사회 속에서 행복할 수 있다는 거예요."

'아하, 그렇구나!'

이 설명을 듣고 나니 이해가 되었다.

'음, 그렇다면, 중용의 덕은? 그래!'

나는 내가 생각한 것이 맞는지 아리숑 교수에게 물었다.

"아리숑 교수님, 그럼 중용의 덕이란 여러 사람과 더불어 함께 사회 속에서 행복하게 사는 데 필요한 것이라고 생각합니다. 그게 맞나요?"

내 질문에 아리숑 교수는 상당히 흡족한 표정을 지었다.

"두 분 다 이해를 잘하는군요. 내가 설명을 잘해서 그런가요, 아니면 빨리 암호를 풀고 보물을 찾고 싶어서 그런가요? 호호호. 어느 쪽이든 좋아요. 여러분 말이 다 맞아요. 여러 사람이 함께 사는 사회에서 갖고 싶은 것, 하고 싶은 것, 탐나는 것을 다 차지할 순 없어요. 욕심이 지나치면 다툼이 생기고 질서가 무너지게 됩니다. 또 화를 내고 싶은 마음, 욱 하고 치고 싶은 마음도 잘 다스리지 못 하면 모두 불행하게 됩니다. 그래서 같이 사는 사회에서는 도덕이 필요해요. 도덕적인 사회 속에서 인간은 최고로 행복한 삶을 살 수가 있어요. 이런 게 싫고 귀찮다고 자기 혼자 깊은 숲 속에 들어가 사는 건 의미가 없는 것입니다."

'아, 그렇구나. 그래서 아리스토텔레스가 행복과 함께 인간은 정치적 동물이라는 말을 했구나.'

나는 맞는 말이라는 생각이 들어서 고개를 끄덕였다.

'웰빙'이라는 말이 요즘 한창 유행인데, 말을 풀면 '잘사는 것', '행복하게 사는 것'이다. 그런데 아리스토텔레스는 잘 먹고 잘 입는 것이 행복이 아니라, 중용의 덕을 가지는 것이 행복이라고 한 것이다. 그리고 아예 다툴 사람이 없게 혼자 사는 것은 신이나 야수라고

했다. 그러니까 사람들과 함께 사회 속에서 다투지 않고, 도덕적으로 로 살면 행복할 수 있다는 말이다.

"중용을 더 자세하게 설명해 주실 수 있으세요? 암호도 풀어야 하지만, 아리스토텔레스의 철학을 듣다 보니 재미있네요. 에이, 어차피 보물이 도망가는 것도 아니고, 시간이 좀 걸리면 어때요? 보물지도는 우리 손에 있잖아요. 그렇잖은가, 류 군?"

"하하하. 고만파 박사님, 저는 보물을 빨리 찾고 싶은데요?"

내가 류팽을 흘겨보았다. 장난이었는데, 류팽은 진짜로 얼어 버린 것 같았다.

"아니, 뭐. 꼭 그렇다기보다는, 하하. 그러니까 말이죠, 철학이 그게 참 재미있네요. 아리송 또틀려쑤 교수님, 계속하시죠, 하하하……."

나는 속으로 빙긋 웃고, 아리송 교수의 이야기에 귀를 기울였다.

"아리스토텔레스는 인간이 사는 목적은 행복이라고 했어요. 물론 중용의 덕을 가지면 가능하지요. 중용에 대해서 자세하게 설명해 달라고 하셨죠? 중용은 쉽게 말해서 딱 중간이에요. 용기를 예로 들어 볼까요. 만약에 용기가 부족하면 어떻게 될까요?"

"삐!"

류팽이 먼저 소리쳤다. 암호를 그만 풀자고 할 때는 언제고, 금세

생글거리는 표정으로 철학 이야기에 집중을 하고 있었다.

"네, 류팽 군?"

"정답은 비겁입니다!"

"네, 맞아요! 그럼 고 박사님, 용기가 지나치면 뭐가 될까요?"

"그거야 뭐 만용 아닐까요? 만용."

"와, 어려운 단어. 역시 박사님이라 다르네요. 만용, 와 어렵다."

'그렇지, 내가 달리 박사겠어? 푸허허허허…….'

나는 류팽의 감탄에 어깨가 으쓱해졌다.

"뭐 그 정도 가지고. 쑥스럽구먼. 음, 아리숑 교수님, 그렇다면 용기가 비겁과 만용의 중간이란 말인가요?"

"네, 그래요. 자, 용기는 좋은 거니까, 덕이라고 할게요. 그럼 '용기의 덕은 비겁과 만용의 중용이다' 라고 할 수 있지요. 다른 것도 해 볼까요? 정의는 무엇과 무엇의 중용일까요?"

'정의?'

그것은 좀 어려웠다. 어떤 것이 정의인지도 알쏭달쏭했기 때문이다.

"교수님, 뭐가 정의예요?"

마침 류팽이 내가 묻고 싶던 것을 질문했다. 아리숑 교수는 잠시 생각을 하다가 이렇게 대답했다.

"흐음, 생각해 보니 어려운 문제군요. 그럼 그냥 정당한 것이라고 하고 문제를 풀어 볼까요? 어차피 연습이니까요."

'아, 철학 박사도 어려운 것이 있구나!'

그랬다. 이 교수님의 이름이 '아리숑 또틀려쑤' 인데, 너무 잘 알고, 또 안 틀려서 신기하다고 생각하고 있었다. 그런데 어렵다는 말을 듣고 슬그머니 웃는데, 아리숑 교수가 내 생각을 눈치 챈 것처럼 웃음을 터뜨렸다.

"호호호, 철학 박사라고 다 아시나요. 모르는 게 아는 것보다 더

많죠. 그렇죠?"

"그건 그렇습니다만."

나는 겸연쩍어서 뒷머리를 벅벅 긁었다.

"그럼, 정의를 가지고 다시 중용 퀴즈를 풀어 볼까요? 이번엔 고 박사님부터 하실까요?"

"음, 정당하지 못한 건 강한 자에게는 약하고, 약한 자에게는 강하게 구는 거 아닙니까? 그럼, 부족한 쪽은 약한 자에게 강하게 구는 것이라고 생각해요. 남을 무시하고 함부로 대하는 것, 맞나요?"

"그럼요, 맞지요. 이게 무슨 수학 문제 풀이인가요? 딱 떨어지는 답은 없는 법이지요. 그리고 참 잘 답해 주셨어요. 그럼 류팽 군, 정의가 지나치면 뭐가 될까요?"

"정의가 지나치면, 강한 자에게 약하게 구는 것처럼 남에게 굴복할 것 같은데요?"

"좋아요. 두 분 다 잘 이해하신 것 같아요. 그럼 '정의의 덕은 무시와 굴복의 중용이다' 라고 할 수 있어요. 그렇죠? 어때요, 이렇게 퀴즈로 푸니까 중용이란 어려운 말도 쉽게 이해되지요? 가르치는 입장이지만, 나도 참 재미있답니다. 호호호……."

'이해했다! 중용의 덕을 실천하고 또 실천해서 몸에 배면 행복할 수 있다. 하루 실천했다고 행복해지는 게 아니라, 매일 실천해서 몸

에 밴 습관처럼 되면, 행복할 수 있다. 그래 좋았어!'

이 어려운 중용이라는 말을 이해하고 나니, 암호도 척척 풀 수 있을 거란 자신감이 생겼다.

② 4개의 보름달, 4개의 문

"그런데 암호에 들어 있는 4개의 보름달, 4개의 문은 도대체 무엇을 의미하는 것일까? 아리스토텔레스의 철학 중에 '4' 와 관계있는 것이 있을까?"

나는 이렇게 중얼거리면서 녹차 세 잔을 들고 왔다.

"녹차입니다. 귀한 거지요. 머리를 맑게 해 주는 차랍니다."

"으음, 원더풀! 향이 참 곱습니다."

냄새를 맡은 아리숑 교수가 감탄했다.

행복에 대한 설명이 끝나고 우리는 녹차를 마시면서 잠시 쉬었다. 그러고는 다시 아리스토텔레스의 철학에 대해 이야기를 시작했다.

"아리숑 교수님, 그럼 이 암호문에 들어 있는 숫자 '4'가 의미하는 건 뭘까요? 아리스토텔레스의 철학이 '4'와 관계가 있나요? 분명히 편지에는 가르쳐 준 것 안에 답이 있다고 했는데……."

나는 궁금함을 참지 못하고 먼저 입을 열었다.

"숫자 4의 철학이 있지요. 뤼팽 군, 들어 본 적 있을 텐데요? 고대 그리스 철학에서 숫자 4가 많이 나오잖아요?"

"숫자 4? 아! 혹시 '4원소설'을 말한 건가요? 그럼요, 많이 들어 봤죠. 모든 물질은 불, 흙, 물, 공기 네 가지로 만들어진다는 거잖아요."

사실 나는 4원소설이라고는 처음 들어 보지만, 뭔가 〈제5원소〉와 연관이 있을 것 같았다. 〈제5원소〉는 뤽 베송 감독의 유명한 SF영화다. 브루스 윌리스가 주인공인데, 네 개의 돌과 다섯 번째 원소인 '사랑'으로 위기에 처한 지구를 구하는 내용이다.

'아, 그러고 보니 영화에서도 네 개의 돌을 작동시키기 위해 물, 불, 흙, 공기가 필요했어! 〈제5원소〉는 아리스토텔레스의 4원소설을 참고해서 만들어진 영화였구나!'

생각이 여기에 미치자 나는 다시 아리숑 교수에게 물었다.

"교수님, 혹시 영화 〈제5원소〉 보셨나요? 물, 불, 흙, 공기라고 하니까 그 영화가 떠올라서요."

내 말에 아리숑 교수는 눈을 똥그랗게 뜨고 활짝 웃으면서 무척 좋아했다.

"어머나, 호호호. 뤽 베송 감독을 아세요? 프랑스의 유명한 감독이지요. 자랑스럽게도 제 친척입니다. 사실 그 영화 찍을 때 내가 중요한 역할을 했죠. 불, 공기, 물, 흙 4원소설을 내가 가르쳐 줬거든요."

"그게 정말이세요? 뤽 베송 감독이 친척이라니…… 그럼 정말로 교수님이 4원소설을 가르쳐 줘서 〈제5원소〉라는 영화가 만들어졌어요? 야, 대단한걸요."

갑자기 분위기가 들떠서 왁자지껄해졌다. 류팽과 나는 뤽 베송 감독의 사인을 받고 싶다고 아리숑 교수에게 부탁하기도 하고, 요즘에는 어떤 영화를 찍고 있냐고 묻기도 했다.

"자, 이제 그만 진정하고 다시 아리스토텔레스의 4원소설에 대해 설명해 드리겠어요. 사실 5원소설이 정확합니다. 그런데 '5원소설'은 우주까지 넓혀서 생각했을 경우이고, 지구에서는 4원소설이지요. 아리스토텔레스는 지구의 모든 물질은 불, 공기, 물, 흙의 네 가지만으로 되어 있다고 생각했어요."

"그럼 우주까지 넓혀 생각했을 때 5원소는 무엇인가요?"

내가 갑자기 물었지만, 아리숑 교수는 친절히 대답했다.

"그럼 약간 빗나가서 5원소설도 설명해 드릴게요. 아리스토텔레스는 해와 달, 별이 떠 있는 하늘이 무엇으로 만들어졌는지 생각했어요. 그 결과 그는 하늘은 무게, 색깔, 그리고 냄새도 없는 제5원소로 만들어졌다고 주장했죠. 하늘, 즉 우주는 이 제5원소로 꽉 채워져 있는데, 그걸 '에테르'라고 불렀어요. 에테르 때문에 우주에서 지구로 떨어지는 물체가 있을 수 없다고 말했죠."

"아, 그렇군요. 4원소는 지구에 있는 물질로 만드는 것이고, 여기

에 제5원소인 에테르까지 합하면 5원소설이 되는군요. 그리고 이 5원소설은 우주에 있는 물질까지 생각했을 때 해당된다는 말씀이시지요. 그런데요, 아까부터 궁금한 게 하나 있어요."

"궁금한 거라…… 뭐든 물어 보세요, 뤼팽 군. 호호호."

뤼팽이 목소리를 가다듬었다.

"교수님께서 4원소설을 얘기하실 때마다 순서를 지켜서 말씀하셨거든요?"

'순서? 듣고 보니 그런 것 같았다. 우리는 불, 흙, 물, 공기라고도 하고, 물, 불, 흙, 공기라고도 했는데, 아리숑 교수님은 항상 불, 공기, 물, 흙이라고 했던 것 같은데…….'

"어머, 그걸 어떻게 눈치 챘죠? 사실 그게 굉장히 중요한 거예요. 아리스토텔레스는 4원소에 가장 높은 것부터 낮은 것까지 등급이 있다고 주장했어요. 내가 말한 순서대로 불이 가장 고귀한 것이고, 그 다음 공기, 물, 마지막으로 가장 비천한 게 흙이라고 했어요. 그래서 저도 그 순서대로 불, 공기, 물, 흙이라고 말한 거랍니다. 그것을 눈치 채다니 정말 대단해요, 호호호."

"아, 그렇군요. 참! 교수님은 아직 모르시죠? 우리 류 군이 사실은 철학 수사대 대원이라네요. 류 군, 그 배지를 어서 보여 드리게."

나도 모르게 '우리 류 군'이라고 호칭을 바꿔 불렀다. 뤼팽도 그것을 눈치 채고 내게 귀여운 표정을 지어 보였다.

 "박사님도 참…… 전엔 배꼽 잡고 웃으시더니, 웬일이세요? 네, 좋아요. 배지를 보여 드릴게요."

 류팽은 벗어 놓은 체크무늬 윗도리를 가져와서 안쪽에 달린 철학 수사대 배지를 우리에게 보여 주었다.

 "와! 대단헤요, 뤼팽 군."

 아리숑 교수가 놀라자, 나도 처음과는 다르게 뷰팽이 대단해 보였다. 역시 철학 수사대 대원이라 눈치도 빠르고 이해도 잘하고, 질문도 날카로웠다. 덕분에 나도 옆에서 중요한 정보를 많이 얻을 수 있었다.

"박사님, 그런데 불, 공기, 물, 흙 네 가지만으로 어떻게 수만 가지 수억 가지의 물질을 만들 수 있죠?"

"오, 고 박사님! 좋은 질문을 하셨어요. 아리스토텔레스는 불, 공기, 물, 흙 네 가지 원소가 섞인 비율에 따라서 물질이 달라진다고 말했어요. 그러니까 그 네 가지 원소를 잘만 섞으면 무엇이든 만들 수 있다는 거지요."

"4원소를 어떻게 섞느냐에 따라 무엇이든 다 만들 수 있다고요? 그게 정말인가요?"

'과학적으로 봤을 때 그게 말이 되는 소리일까?'

나는 터무니없는 말처럼 들려 의심이 들었다.

"몇백 년 전까지 그랬답니다. 그런데 이제는 아니라는 게 밝혀졌잖아요? 원소라는 건 더 이상 다른 원소로 나눠지지 않는 건데, 물만 생각해 봐도 그래요. 물은 수소 원자 두 개와 산소 원자 한 개로 만들어진 거잖아요. 그러니까 불, 공기, 물, 흙이 4원소라는 말은 이젠 틀린 말이죠. 그리고 이것들로 모든 물질을 만들 수 있다는 말도 틀린 말이고요. 수소, 산소, 질소, 탄소와 같은 원소들이 여러 가지 물질을 만들 수 있는 거죠."

"아니 교수님, 아리스토텔레스의 말이 틀렸다고요? 철학자가 틀린 말을 하는 경우도 있나요? 그렇다면 그 사람의 철학을 배우는

게 이제는 아무 의미가 없지 않나요?"

철학 수업 시간에 열심히 배운 것이 억울한지 류팽이 황당한 표정으로 물었다.

"오해 말아요. 꼭 그렇지만은 않으니까. 그때는 과학 기술이 발달하지 못해서 그런 거니까요. 그런 점을 이해해야 해요. 아리스토텔레스가 한 말 중에 틀린 건 이것 말고도 많아요. 특히 과학 쪽으로 그렇지요. 그렇지만 아리스토텔레스가 세상을 바라보고 연구한 자세나 방법은 오늘날에도 배울 점이 많답니다."

"하긴 아리스토텔레스는 철학, 과학, 예술에 이르기까지 연구하지 않은 분야가 거의 없잖아요. 그 결과가 틀린 게 많다고 하더라도, 그 과정에서는 배울 점이 참 많은 거지요. 그래요. 암호 속에서 숫자 4가 계속 나오는 건 아리스토텔레스의 4원소설과 관계있는 게 확실해요. 그럼 이제 남은 건 '형상은 질료 속에 있다'인가요? 형상과 질료는 나도 많이 들어 본 적이 있어요."

"아, 그러세요? 고 박사님도 들어 보셨다니 설명하기가 더 쉽겠어요. 그럼 잠시 쉬었다가 형상과 질료에 대해 얘기할게요. 어휴, 목이 많이 마르네요."

"녹차를 더 드릴까요?"

내가 나서서 말했다. 하지만 아리숑 교수의 주문은 달랐다.

"혹시 아까 마신 그 시원하고 톡 쏘는 물이 남았나요?"

"시원하고 톡 쏘는 물? 아, 고구마 퐁듀를 먹을 때 함께 마신 동치미 국물 말인가요?"

"네, 그거요. 동치미 국물, 주시면 고맙겠네요."

"류 군도 동치미 국물 좋지?"

"네. 그런데 고구마는 안 남았나요? 하하하."

그래서 우리는 다시 발갛게 달구어진 장작에 고구마를 파묻었다. 노랗게 잘 구워진 고구마를 먹으면서 동치미 국물을 마시니 맛도 있고 배도 든든해서 너무 행복했다.

"배가 든든해졌으니, 이제는 머리를 든든하게 채워 볼까요?"

아리숑 교수가 형상과 질료에 대한 이야기를 시작했다.

③ 형상은 질료 속에 있다

이제 암호의 마지막 부분에까지 왔다. '형상은 질료 속에 있다.'는 말이 무엇을 의미하는지 알면 암호를 풀 수 있었다.

"형상은 질료 속에 있다는 말을 설명하려면 플라톤을 거론하지 않을 수 없어요. 철학자 플라톤에 대해서는 알고들 있지요?"

"삐삐삐! 저요! 저요!"

갑자기 류팽이 야단법석을 떨었다.

'왜 저러나?'

나와 아리송 교수는 갑자기 부산을 떨어 대는 류팽을 멍하니 바라보았다.

"아, 그래요. 뤼팽 군, 플라톤에 대해서 들어 봤나요?"

"어디 들어 보다 뿐인가요? 만나기까지 한 걸요. 저를 제자로 삼겠다면서 이데아의 세계로 끌고 가려고까지 했어요."

'어라? 저건 또 무슨 소리지?'

플라톤이 어쩌고, 이데아의 세계가 어쩌고 하는 말을 나와 아리송 교수는 이해할 수가 없었다. 무슨 사연이 있는 것 같았다.

"그러니까 그게 철학 수사대의 첫 번째 사건이었어요. 제 고종 사촌인 셜록홈 누나와 왓슨, 그리고 저 이렇게 셋이서 장난 삼아 철학 수사대를 만들었어요. 그런데 얼마 지나지 않아서 첫 번째 사건이 발생한 거예요. 그게 플라톤과 관계된 일이었어요. 무척 큰 사건이었고, 그 일로 저희가 유명해졌는데, 어떻게 두 분은 모르세요?"

"그러니까 나는 고대 도시 바빌론과 알렉산더 대왕을 연구하느라고…… 텔레비전이나 신문 볼 시간이 없어서……."

"나…… 나도 그래요. 나 역시 아리스토텔레스의 죽음을 추적하느라 세상일에 전혀 관심을 못 뒀어요. 그런 큰일이 있었군요."

나와 아리송 교수는 류팽의 말에 머쓱해졌다.

'철학 수사대가 생각보다 유명한 것 같네. 류팽이 플라톤을 만났다고? 게다가 플라톤이 류팽을 제자로 삼겠다는 말까지 했다고? 흠,

하긴 나도 류팽을 제자로 삼고 싶은 마음이 드니까.'

나는 이데아라는 말은 학교 다닐 때 들어 보았지만, 이데아의 세계가 있다는 말은 류팽에게 처음 들었다.

"그래서 이데아의 세계가 있단 말인가? 류 군, 자네는 가 봤나?"

"그럼요, 가 봤죠. 이데아는 눈으로 볼 수 있는 게 아니에요. 이성으로 볼 수 있는 거죠. 선의 이데아가 빛을 비추면 그 밑에 있는 이데아들을 이성으로 볼 수 있어요. 진짜예요, 제가 태양의 방, 선분의 방, 동굴의 방에도 직접 가 봤다니까요!"

우리가 믿지 않는 것처럼 보였는지 류팽은 더욱 열을 올렸다.

"좋아요, 좋아. 그렇지 않아도 플라톤의 이데아와 아리스토텔레스의 형상을 비교하려던 참이었는데 잘됐네요. 사실 이데아와 형상은 비슷해요. 그런데 큰 차이가 하나 있지요. 뤼팽 군, 이데아의 세계에 가 봤다고 했나요?"

류팽은 아리숑 또틀러쑤 교수의 질문이 반가운지 냉큼 대답했다.

"그럼요. 거기 태양의 방에서 선의 이데아에 대해 들었어요. 선분의 방에서는 이데아에 등급이 있다고 들었고 동굴의 방에서는 어휴, 엄청나게 큰 감옥이 이따 만한 게 있고, 앞만 볼 수 있는 죄수들이……."

'저렇게 상세하게 말을 하다니 정말 가 봤나 보군.'

나는 류팽의 말에 입이 딱 벌어졌다.

"그럼 플라톤의 이데아란 건 여기 아닌 다른 데 있는 겁니까?"

"네, 맞아요, 고 박사님. 플라톤의 이데아는 현실이 아닌 다른 곳에 있어요. 눈으로 볼 수는 없지만 분명히 있다고 했죠. 그런데 아리스토텔레스가 말하는 형상은 이데아와 비슷하기는 하지만, 다른 데 있는 것이 아니라 바로 여기 이 현실 속에 있어요."

"아, 그렇군요. 아리숑 교수님, 그래서 형상은 질료 속에 있다고 했군요? 그럼 질료는 무엇인가요?"

류팽은 이데아를 알기 때문에 그와 비슷한 형상이 무엇인지 금방 이해를 한 것 같았다. 그런데 나는 형상이 무엇인지 잘 이해되지 않았다.

"잠깐만! 아리숑 교수님, 저는 철학을 잘 몰라서 그런지 형상도 잘 모르겠어요. 형상도 같이 설명해 주시겠어요?"

"좋아요. 예를 들어서 형상과 질료를 함께 설명할게요. 자, 파리에 유명한 에펠 탑이 있죠? 에펠 탑은 철로 만들었어요. 이제 에펠 탑을 용광로에서 녹인다고 상상해 봐요. 어떻게 될까요?"

"삐, 고만파 정답이요! 에펠 탑의 형태는 사라지고 철 덩어리만 남겠죠."

"맞았습니다. 바로 거기서 에펠 탑의 형태가 '형상'이에요. 그리고 철 덩어리가 바로 '질료'에 해당된답니다. 물론 우리가 사용하는 형태라는 말과 형상이 같은 뜻은 아니에요. 형상이 더 큰 뜻을 가지고 있죠. 좀 더 쉽게 설명하면 형상과 질료의 관계는 에펠 탑의 형태와 철의 관계와 같아요."

"아리숑 교수님, 그럼 질료는 재료라고 생각하면 쉽게 이해가 되겠네요? 그리고 형상은 모양, 구조, 기능 등 재료를 뺀 나머지 것들이라고 생각하면 될까요?"

"음, 그렇게 생각하면 큰 무리는 없을 것 같아요. 고만파 박사님도 이해가 되시죠?"

"아니요, 난 아직 잘 모르겠어요. 아리숑 또틀려쑤 교수님, 예를 하나만 더 들어 주시겠어요?"

철학에 대한 기본 지식이 없어서인지 아무래도 나는 류팽보다 이해하는 속도가 느렸다. 하지만 그래도 나는 학자가 아닌가. 모르고 넘어가는 것보다 조금 창피하지만 물어서 알고 넘어가는 것이 훨씬 좋은 것이다.

"네, 그렇게 하지요. 그럼 도장을 예로 들어 볼까요?"

"아니 도장이라니요? 서양 사람인 아리숑 교수님이 도장을 어떻게? 요즘 서양에서는 도장이 유행하나요?"

"참, 고만파 박사님도…… 서양에선 대부분 도장을 쓰지 않지만, 난 하는 일이 다른 사람과 좀 다르잖아요? 그래서 문장에도 관심이 많답니다. 내 취미를 아는 한 중국인 친구가 선물로 주었어요. 상아로 만든 도장이랍니다. 항상 핸드백에 넣고 다니죠. 뤼팽 군, 내 핸드백 좀……."

뤼팽이 탁자에 있던 핸드백을 가져왔다.

"고마워요, 뤼팽 군."

"고맙긴요."

아리숑 교수는 핸드백을 열어 도장을 꺼냈다.

"이것 좀 보세요. 고 박사님, 혹시 도장밥 있나요?"

한국에서 올 때 빨간 도장밥을 챙겨서 왔는데, 이럴 때 쓸모가 있을 줄은 몰랐다. 나는 얼른 방에 들어가서 도장밥과 메모지를 가지고 왔다.

"여기 있습니다. 도장밥이 철학을 이해하는 데 쓰일 줄은 몰랐습니다, 허허허……."

"아이 참, 고만파 박사님도. 철학은 우리 생활과 동떨어진 게 아니잖아요. 자, 도장밥을 이렇게 꾹 찍어서 종이에 다시 찍으면 이렇게 됩니다."

아리송
또틀려 쑥

나와 류팽은 마술 쇼를 보는 것처럼 도장이 찍힌 종이를 들여다보았다. 그러자 아리송 교수가 즐거운 표정으로 말했다.

"여기서 도장이 찍힌 모양이 형상입니다. 그리고 이 형상을 나타나게 한 빨간 도장밥이 바로 질료이지요. 어때요, 쉽죠?"

나는 두 번 정도 설명을 들으니 이해가 될 듯했다. 말로 듣는 것보다 이렇게 실제로 해 보니 이해가 한결 쉽게 되었다. 그래서 이번에는 부엌으로 가서 밀가루를 반죽해 왔다.

"아리송 교수님, 그럼 제가 이 밀가루 반죽으로 빵을 한번 만들어 보겠습니다. 이렇게 동그란 도넛 모양으로요."

"저도요! 저는 별 모양으로 만들래요."

류팽도 만들겠다고 나섰다.

우리는 반죽으로 각각 동그란 도넛 모양과 별 모양을 만들었다.

"이렇게 밀가루 반죽으로 빵을 만들 때, 밀가루 반죽이 바로 질료가 되는 거예요, 그렇죠?"

"맞았어요, 고 박사님."

"그리고 이렇게 도넛 모양이나 별 모양을 만든 게 형상이에요. 그렇죠, 교수님?"

"그래요, 맞았어요, 뤼팽 군. 그런데 형상은 모양 이외에도 여러 가지가 있어요. 빵은 왜 만드나요?"

"그거야 먹으려고 만들지요. 서양 사람들에겐 이게 주식이잖아요. 우리로 치면 쌀밥과 같고요. 아, 그렇다면, '먹으려고 만든다는 것'도 빵의 형상이군요?"

"그럼요, 맞아요. 모양뿐만 아니라 기능, 구조도 형상이니까요. 그러니까 빵의 형상은 빵을 만들기 전에도 우리 머릿속에 있는 거죠. 그것에 따라 질료인 밀가루를 가지고 빵을 만드는 것이고요. 그래서 아리스토텔레스는 형상을 현실에서 볼 수 있다고 말한 겁니다."

'그렇구나. 이제야 형상은 질료 속에 있다는 말이 명확하게 이해가 되는군. 그래서 플라톤의 이데아와 아리스토텔레스의 형상이 비슷하면서도 큰 차이가 있는 것이군. 잠깐!'

이렇게 생각한 내 머릿속에 스치고 지나가는 것이 있었다.

"아! 아리숑 선생님, 그럼 이제 암호 속에 들어 있는 아리스토텔레스의 철학에 대해 다 배운 것인가요?"

"네, 그렇습니다."

"우아!"

"고만파 박사님과 뤼팽 군이 워낙 집중해서 잘 들어서 쉽게 끝난 것 같아요. 호호호."

"그럼 이제 암호를 풀 수 있는 거죠? 잠깐만, 행복의 바다가 어디인지 짚이는 데가 있다고 하신 것 같은데, 아리숑 또틀려쑤 교수님! 어서 암호를 풀고 보물을 찾으러 가요!"

뤼팽이 신이 나서 야단법석을 떨었다. 뤼팽이 너무 설치는 통에 잠자코 있어야 했지만, 속으로는 나도 무척 신이 났다.

우리는 이제 암호를 풀어야 했다. 모든 해답은 아리스토텔레스가 가르쳐 준 것 안에 있다. 그 말대로라면 우리는 반드시 풀 수 있을 것이다.

"보물아, 기다려라. 우리가 간다!

'행복하고 싶으면 덕에 의한 생활을 하자. 덕은 중용을 지키는 데 있다. 이 것을 실천하는 사람, 생활 속에서 베푸는 사람에게는 행복이 따른다.'

아리스토텔레스의 명언이에요. 3편에서는 아리숑 또틀려쑤 교수가 중용의 덕을 설명하면서 여러 가지 퀴즈를 내죠? 우리가 알고 있는 모든 좋은 것을 가지고 퀴즈를 낼 수 있어요. 용기, 절제, 후덕, 긍지, 친절, 인정은 모두 좋은 것으로 덕이지만, 이것이 지나치거나 모자라면 악덕이 됩니다.

아리스토텔레스의 4원소설은 당시 그리스 철학자들 대부분이 주장했던 학설이에요. 원소란 물질을 이루는 구성 성분을 의미합니다. 4원소란 불, 공기, 물, 흙인데, 물질이 이것들로 구성되어 있다고 하는 것이 4원소설입니다. 4원소는 높고 낮음이 있습니다. 가장 고귀한 원소가 불이고, 다음이 공기, 물, 그리고 가장 비천한 원소가 흙입니다. 이렇게 상하로 나누는 것은 4원소설에만 있는 것이 아닙니다.

자연의 사다리라 하여 사다리로 올라갈수록 더 고귀하고 높은 것이 있는데, 가장 아래가 자연, 그 다음이 인간, 가장 높은 것이 신이라고 합니다. 신 → 인간→ 자연 순서이기 때문에, 인간이 자연을 정복하는 것이 당연하다고 그리스 시대 이후에도 서양 사람들은 생각해 온 것입니다.

그리고 아리스토텔레스는 4원소인 불, 공기, 물, 흙이 섞인 비율에 따라 다른 물질이 된다고 생각했어요. 4원소를 적절한 비율로 섞으면 모든 물질을 만들어 낼 수가 있다는 뜻이지요. 만약 불, 공기, 물, 흙으로 모든 물질을 만들 수 있다면, 여러분은 가장 먼저 무엇을 만들고 싶은가요?

아마 금과 다이아몬드 같은 귀금속을 가장 먼저 떠올릴 거예요. 그렇죠? 그래서 4원소설이 유행했던 당시에는 연금술이 무척 유행했다고 합니다. 연금술은 불, 공기, 물, 흙을 가지고 금을 만들어 내는 것인데 원소가 무엇인지 밝혀질 때까지 과학자들은 거의 다 연금술을 연구했다고 해요. 그 유명한 뉴턴도 연금술에 푹 빠졌었다고 전해집니다.

5원소설은 우주의 물질 에테르와 4원소설을 합쳐서 나온 말입니다. 에테르는 우주를 꽉 채우고 있는 물질인데, 무게도 없고 냄새와 색깔도 없다고 합니다. 아리스토텔레스는 이 에테르가 우주를 꽉 채우면서 해와 달, 별들을 붙잡고 있기 때문에 이것들이 지구로 떨어지지 않는다고 생각했습니다.

비슷한 시기에 동양에서는 수(물), 금(쇠), 토(흙), 화(불), 목(나무)을 원소라고 생각했습니다. 그러나 아리스토텔레스와는 달리 이들 사이에 상하 관계는 없다고 보았습니다. 상하 순서가 있는 것이 아니라, 계속 순환한다고 생각했기 때문입니다. 이로부터 한참 뒤 과학자들은 물질의 구성 성분이 4원소 혹은 5원소가 아니라 원소라는 것을 밝혀냈습니다.

수소, 산소, 질소, 탄소와 같은 것이 원소입니다. 원소의 특징은 아무리 쪼개도 다른 원소로 나누어지지 않는다는 것입니다. 원소를 처음 말한 사람은 돌턴입니다. 새로운 원소설에 따르면, 물은 원소가 아닙니다. 왜냐하면 물은 수소와 산소라는 두 개의 원소로 나누어지니까요. 지금까지 밝혀진 원소는 약 260여 개입니다.

보물은 어디에

희망이란 눈 뜨고 있는 꿈이다
-아리스토텔레스-

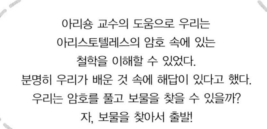

아리숑 교수의 도움으로 우리는
아리스토텔레스의 암호 속에 있는
철학을 이해할 수 있었다.
분명히 우리가 배운 것 속에 해답이 있다고 했다.
우리는 암호를 풀고 보물을 찾을 수 있을까?
자, 보물을 찾아서 출발!

아테네로 출발!

  고구마 퐁듀를 먹은 날 밤, 우리는 새벽까지 암호 속에 들어 있는 아리스토텔레스의 철학에 대해 공부했다. 아리숑 또틀려쑤 교수는 행복과 4원소설, 형상과 질료를 우리에게 설명해 주었다.

  이제 배운 것을 이용해서 암호를 푸는 일만 남았다. 아리스토텔레스가 편지에 가르쳐 준 것 안에 해답이 있다고 했기 때문에 우리는 기세가 등등했다.

  "아리숑 교수님, 행복의 바다는 어디를 가리키는 것일까요? 짚이는 데가 있다고 하셨죠? 저도 있긴 해요."

"그러세요? 그럼 고만파 박사님이 먼저 말씀해 주시겠어요?"

사실 나는 행복의 바다라고 했을 때, 그냥 비유이겠거니 하는 생각을 했다. 그런데 아리스토텔레스의 행복에 대해 설명을 듣다보니 '중용의 덕'이란 것이 행복의 바다를 푸는 열쇠라는 확신이 들었다. 행복, 중용의 덕, 중간. 중간의 바다!

"중용에서 열쇠를 얻었어요. 혹시 행복의 바다는 중간의 바다를 뜻하는 것이 아닐까요? 중간의 바다, 지중해 말이에요!"

"아!"

"저도 그렇게 생각했어요. 우리 둘이 똑같은 생각을 했군요. 뤼팽 군은 어떻게 생각해요?"

"행복의 바다가 지중해인 것은 맞는 것 같아요. 그런데 그렇게 큰 지중해 어디를 말하는 것일까요?"

뤼팽 말이 맞았다. 지중해는 여러 나라로 둘러싸여 있을 정도로 큰 바다다. 그런데 어디서 찾을 수 있단 말인가! 우리는 다시 어려움에 부딪혔다.

"잠깐! 어렵게 생각하지 말자고요. 우리가 아리스토텔레스라면 어디서 지중해를 봤을까요?"

나는 유물을 발굴하러 다닐 때, 쌓은 경험을 되살렸다. 유물이나 유적을 발굴할 때도 어려움에 부딪힐 때가 많았다. 그때마다 잠시 하늘을 쳐다보며 이렇게 생각했다.

'내가 그 옛날에 여기에 살았다면 어디에다 무엇을 만들었을까?' 하는 식으로 말이다. 내가 상상으로나마 그 사람이 되면 의외로 문제는 간단하게 풀릴 때가 많았다.

"그거 좋은 생각입니다. 아리스토텔레스가 알렉산더 대왕에게 이 편지를 보낼 때 그는, 아테네에 있었어요. '리케이온'이라는 학교를 열어서 아테네에서 쫓겨날 때까지 학생들을 가르쳤죠. 그럼 아테네에서부터 시작해 볼까요?"

"좋습니다. 그럼 지중해와 아테네 두 단서를 가지고 시작을 하죠. 그런데 우리가 여기 앉아서 아테네의 아리스토텔레스를 상상이나마 제대로 할 수 있을까요? 마침 내일이 금요일인데, 수업 끝나고 바로 아테네로 가는 건 어때요?"

나의 제안에 모두들 찬성했다. 그래서 우리는 다음날 수업이 끝난 후에 바로 아테네로 출발하기로 약속을 하고 각자 집으로 돌아갔다.

② 리카비토스 언덕에 오르다

다음날, 수업을 마치자마자 우리는 철학과 건물에서 만났다. 배낭을 둘러멘 우리들의 표정은 잔뜩 상기되어 있었다.

파리에서 아테네까지는 비행기로 3시간 20분 거리였다. 아테네 국제 공항에 내리자마자 우리는 택시 기사에게 물었다.

"아테네에서 지중해를 볼 수 있는 곳이 어딘가요?"

우리가 너무 다짜고짜 물어서 기사는 당황한 듯 했지만, 세상에는 별 사람들이 다 있지 하는 표정으로 어깨를 한 번 으쓱하더니 대답했다.

"리카비토스 언덕이라고, 아테네에서 가장 높은 곳이지요. 거기서는 지중해가 보인답니다. 거기로 가실 건가요?"

"네!"

세 사람이 합창하듯 동시에 대답하고 서둘러 택시에 올라탔다.

마침 저녁 어스름이 깔리고 있었다. 곧 달이 뜰 시간이었다. 우리가 가진 두 단서대로라면 아리스토텔레스는 아테네에 있었고, 지중해가 보이는 곳에 있었다. 그렇다면 아리스토텔레스도 리카비토스 언덕에 올라 암호문을 썼던 것이 확실했다.

"오늘이 며칠이죠? 참, 여기는 양력이구나. 음력을 알아야 보름달이 언제 뜨는지 알 수 있을 텐데."

날짜를 택시 기사에게 물으려다가 포기하는 수밖에 없었다. 음력으로 알 리가 없기 때문이다.

"제가 알아요. 제 생일이 음력으로 8월 14일이거든요. 제 생일이 지난 지……. 잠깐만요, 계산 좀 하고요. 아, 한 달하고 하루가 지났네요. 그러면 아, 오늘이에요. 오늘이 보름이에요!"

류팽이 오늘이 보름이라고 소리치자 택시 안에 있는 사람들 모두가 놀랐다. 택시 기사는 류팽이 갑자기 소리를 지르는 바람에 놀랐고, 우리는 때를 너무 잘 맞춰 와서 놀랐던 것이다.

"아이쿠 깜짝이야. 손님들 무슨 좋은 일이 있으신가요? 보아하니 먼 데서 오신 분들 같은데, 여기엔 무슨 일로 오셨나요?"

택시 기사는 우리의 차림새를 훑어보더니 이상하다는 듯이 물었다. 그렇다고 우리가 보물을 찾으러 간다고 말할 수는 없었다. 그래서 적당히 둘러대었다.

"호호호, 무슨 좋은 일이 있겠어요. 저희는 그냥 달을 연구하는 사람들인데요, 여기 지중해 근처에서 보는 달이 가장 아름답다고 소문이 나서요. 특히 보름달이요. 그래서 온 거랍니다."

아리숑 교수가 얼버무려서 택시 기사의 따가운 눈초리를 피할 수 있었다.

우리는 리카비토스 언덕에 도착할 때까지 조용히 입을 다물고, 뛰는 가슴을 진정시켜야 했다.

"자, 다 왔습니다. 저기 보이는 저것이 리카비토스 언덕입니다. 아테네에서 제일 높은 곳이지요. 이 앞에 케이블카가 있으니까 그걸 타고 올라가시면 될 겁니다. 그럼, 달 구경들 잘하시고요."

택시 기사는 친절하게도 케이블카 바로 앞에 세워 주었다. 우리는 고맙다는 인사를 한 후, 마침 곧 출발하려고 하는 케이블카로 뛰어가서 올라탔다.

'정말 보물을 찾을 수 있을까?'

나뿐 아니라 류팽과 아리숑 교수의 가슴도 옆에서 들릴 정도로 쿵쾅쿵쾅 뛰는 것 같았다.

세 사람은 아무 말도 없이 케이블 창밖으로 보이기 시작하는 지중해만 뚫어지게 내려다보았다. 하늘에는 휘영청 밝은 보름달이 떠 있었다.

③ 암호를 풀다

보름달! 보름달이 아주 밝게 떠서 아테네와 지중해를 비추고 있었다. 손전등 없이 언덕에 올랐는데도 달빛에 주변이 환했다.

"아리송 교수님, 암호의 다음 구절이 무엇이었죠? 네 개의 보름달이 뜨면, 네 개의 문이 열린다고 했나요?"

나는 암호의 마지막 구절이 가물거려서 다시 확인을 했다. 지중해와 보름달을 번갈아 보면서 생각에 잠겨 있던 아리송 교수가 천천히 입을 열었다.

"네, 맞아요. 행복의 바다에 네 개의 보름달이 뜨면, 네 개의 문이 열리고, 형상은 질료 속에 있다고 했어요."

말을 마친 아리숑 교수는 다시 보름달과 지중해를 번갈아 보면서 깊은 생각에 잠겼다. 옆에서 류팽도 깊은 생각에 잠겼다.

"자, 여러분, 같이 생각을 모읍시다. 백지장도 맞들면 낫다고 했잖아요? 제 아이큐가 적어도 백, 여러분도 백 이상이실 테니 합치면 삼백이 넘습니다, 허허허……."

내가 우스갯소리를 하며 두 사람의 주의를 모았다. 사실 보름달과 지중해를 쳐다본다고 무슨 뾰족한 수가 나겠는가. 보름달은 하나밖에 안 떠 있고, 그건 불변의 진리니 말이다.

"자, 어떻게 하면 저 보름달이 네 개가 될까요?"

내 말에 두 사람은 보름달에서 시선을 거두고 바닥에 앉아 고민하기 시작했다.

내가 먼저 입을 열었다.

"하늘에 떠 있는 보름달이 하나, 그리고?"

"그리고 지중해에 떠 있는 보름달이 하나!"

잠자코 있던 류팽이 내 말을 이었다. 우리 계산대로라면 두 개의 보름달은 찾은 거다. 나머지 두 개는 어디에 있을까? 우리 이야기를 듣고만 있던 아리숑 교수가 드디어 입을 열었다.

"고만파 박사님, 아리스토텔레스가 살았던 당시에도 거울이 있었을까요?"

"거울? 아, 맞다! 거울! 거울이 네 개면 거울 속에 비친 달도 네 개예요!"

류팽이 소리쳤다.

"거울이라고요? 가만 있자, 아리스토텔레스가 기원전 300년경 사람이니까……. 그럼요, 거울이 있었지요. 그러나 그때 쓰던 거울은 요즘처럼 유리 거울은 아니었어요."

"삐! 청동거울이죠? 역사 시간에 배웠어요."

류팽의 말처럼 아리스토텔레스가 살던 때에 유리 거울은 없었다.

"응, 맞아. 청동거울이야. 그러니까 무게도 훨씬 무겁지. 한 손으로 들기엔 무거웠을 거야. 청동으로 저 달을 비추려면 제법 거울이 커야 했을 걸? 어디 세워 두거나. 앗, 저건!"

주위를 둘러보던 나의 눈에 이상한 것이 들어왔다.

"저 바위 세 개가 보이나요?"

내가 검지 손가락으로 가리킨 곳은 지중해와 달이 보이는 언덕바지였다. 거기에 삼각형 꼴로 세워져 있는 바위 세 개가 보였다. 나는 그 바위들 쪽으로 가까이 다가갔다. 손으로 바위를 더듬던 나는 깜짝 놀라 소리쳤다.

"아, 내 짐작이 맞았어! 여길 보세요, 이 두 개의 바위에 홈이 파여져 있어요!"

내가 소리를 치자, 두 사람이 후닥닥 뛰어왔다.

"어디요?"

"어디란 말예요?"

류팽이 내가 짚은 곳에 손을 갖다 대더니 똑같이 소리쳤다.

"앗! 정말 홈이 파여 있어요! 박사님, 이게 뭐죠?"

"내 짐작대로라면 이건 청동거울을 세워 두었던 자릴 거예요. 거

울이 크고 무거우니까 이렇게 홈을 파서 세워 둔 거죠. 자 보세요, 이 바위에도 홈이 파여 있죠?"

"와, 정말 그러네요. 역시 고만파 박사님이십니다. 고고학자의 도움을 받으니까 이렇게 쉽게 암호가 풀리는군요, 호호호……."

"와, 아리송 박사님의 철학과 고 박사님의 고고학이 힘을 합해 드디어 아리스토텔레스의 보물을 찾게 된 거네요!"

신이 난 류팽이 소리치자 우리는 좀처럼 진정이 되질 않았다.

"자, 보세요. 여기 두 바위보다 앞에 떨어져 있는 이 바위에는 홈이 파여져 있지 않아요. 이 바위의 배치로 보았을 때, 뒤에 있는 두 바위에 거울이 꽂히고, 그 반사된 빛이 앞에 있는 이 바위에 모아지는 것 같아요, 그렇죠?"

앞에 있던 바위를 찬찬히 살펴보던 류팽이 뭔가를 발견한 듯이 소리쳤다.

"박사님, 여기에도 홈이 파였어요! 정 중앙에 아주 작은 홈이 하나 파여 있어요!"

"뭐라고?"

아리송 교수와 내가 살펴보니, 정말 류팽의 말대로 두 바위와는 다르게 정 중앙에 작은 홈이 하나 파여 있었다.

"우리 이럴 게 아니라, 거울을 이 바위에 갖다 대 볼까요?"

"고 박사님, 그거 좋은 생각입니다."

나는 가지고 온 휴대용 거울을 꺼냈다. 청동거울보다는 작지만 훨씬 잘 보이니 위치만 잘 잡으면 큰 차이가 없을 것이라는 생각이었다.

"아이참, 나는 거울을 안 가지고 왔는데, 어쩌죠? 이럴 줄 알았으면, 챙기는 건데."

류팽이 몹시 안타까운 표정을 지었다.

아리숑 교수가 배낭에서 꺼낸 것은 화장분 곽에 딸린 거울이었다.

우리는 서로 어깨동무를 하고 덩실덩실 춤까지 추었다.

'아, 이제 거울을 맞추면 어떤 일이 일어날까?'

나는 이렇게 생각하면서 거울을 들고 바위에서 위치를 잡았다. 나도, 아리슝 교수의 손도 떨리고 있었다. 류팽은 앞에서 거울 속에 달이 잘 보이는지, 달빛이 잘 반사되는지를 살폈다.

"좋아요, 거기예요!"

류팽이 소리쳤다. 순간 우리 앞에는 놀라운 일이 벌어졌다. 두 거울에서 반사된 빛이 앞에 있는 바위 중간에 파여진 홈에 정확히 들어간 것이다.

"저거다!"

우리 세 사람은 합창하듯 동시에 소리쳤다.

'이제 바위가 두 개로 쫙 갈라지면서 열리겠지? 그리고 그 안에는 바빌론의 보물이라고 하는 절대무기가 있을 거야!'

이런 생각을 하는 내 가슴은 터질 것만 같았다.

아리슝 교수와 류팽도 같은 생각을 하면서 바위를 뚫어져라 바라보았다. 그런데 시간이 흘러도 바위는 꼼짝하지 않았다.

"어라?"

"왜 안 열리죠?"

"조금 더 기다려 보죠?"

그러고도 십여 분이 더 흘렀다. 우리는 꼼짝도 않고 바위만 바라보고 있었다. 그런데 여전히 바위는 꼼짝 하지 않았다.

"뭔가 더 있는 걸까요? 아차! 아리숑 교수님, 네 개의 달이 뜨면 네 개의 문이 열린다고 했죠?"

"그랬지요?"

"그런데 우리는 아직 네 개의 문을 안 열었잖아요!"

류팽의 말에 우리는 똑같이 소리쳤다.

"아차, 네 개의 문!"

"어차피 뾰족한 수가 없어요. 그리고 또 우리가 배운 것은 4원소설이니까 제5원소에서 했던 것과 같은 방법을 한번 써 볼까요?"

나와 류팽이 찬성하자 아리숑 교수가 말했다.

"불, 공기, 물, 흙을 차례차례 바위 중앙에 파인 홈에 넣어 보는 거예요. 물론, 순서를 지켜야 해요. 아리스토텔레스는 4원소에 순서가 있다고 했으니까. 제일 처음 불, 그 다음 공기, 물, 마지막으로 흙을 넣어 보는 거예요."

"좋아요."

"좋습니다."

우리는 영화에서 본 것처럼 했다. 불은 영화에서는 성냥이었지만 내 주머니에 있는 라이터로 대신하기로 했고, 공기는 입김으로 하기로 했다. 그리고 물은 생수통에 남아 있는 것을 사용하기로 했고,

흙은 바닥에 있는 흙을 모아서 하기로 했다.

"자, 제일 처음 불!"

내가 소리치자 아리숑 교수가 내게 받은 라이터로 주변에 있던 낙엽에 불을 붙여서 홈에 넣었다.

"다음엔 공기!"

이번에는 류팽이 홈에 가까이 가서 입김을 후 불었다.

"자, 이젠 물!"

내가 생수통에 남아 있는 물을 몇 방울 집어넣었다.

"끝으로 흙!"

아리숑 교수가 바닥에서 흙을 긁어 홈에 집어넣었다.

순간 깜짝 놀라 소리쳤다.

"아악!"

"어머나!"

"엄마야!"

갑자기 바위가 떨기 시작했기 때문이다.

"그르 그릉 그르르릉 끼기기긱……."

바위가 흔들리더니 중간 부분이 뒤로 푹 빠져 버렸다. 바위에는 크게 구멍이 뚫렸고, 안을 들여다보니 속이 비어 있는 것 같았다. 침묵이 흘렀다. 누구 하나 선뜻 구멍에 손을 집어넣지 못했다.

④ 바빌론의 보물

　나와 아리숑 교수, 그리고 류팽은 철학과 고고학 합동으로 바빌론의 보물을 찾아냈다. 지중해가 보이는 아테네의 리카비토스 언덕에서 아리스토텔레스의 암호를 끝까지 풀어낸 것이다.

　양피지 편지에 쓰여져 있던 것처럼 바빌론의 보물은 절대무기일까? 마케도니아를 적들의 손에서 영원히 보호할 수 있는 힘을 가진 절대무기를 아리스토텔레스가 만들어 냈단 말인가?

　보물을 눈앞에 두고서도 선뜻 나서지 못해 주저하고 있던 우리는 용기를 내서 보물을 꺼내기로 했다.

"고만파 박사님! 박사님이 이런 발굴을 많이 해 보셨을 테니, 조심해서 꺼내 주세요."

"그러지요, 아리송 교수님!"

나는 마음을 다부지게 먹고 나서 보물을 꺼내기로 했다. 바위에 뻥하니 뚫린 구멍으로 오른팔을 집어넣었다. 눈에 보일 만큼 덜덜 떨리는 손으로 구멍 안을 더듬더듬 하는데, 무엇인가 손에 잡히는 것이 있었다.

"있어요, 있어! 정말 보물이 있다고요!"

나는 가슴이 벅차서 어쩔 줄 몰라 하며 그것을 꼭 잡았다. 제법 묵직한 것이 마치 돌덩이 같았다. 그런데 보물을 꺼내고 보니 그것은 정말 돌덩이였다!

"아니, 이럴 수가! 돌덩이잖아!"

길이가 30센티미터 되고 폭이 15센티미터쯤 되는 큼직한 돌덩이였다. 아리송 교수와 나는 허탈해서 자리에 털썩 주저앉아 버렸다.

"이 돌덩이가 절대무기? 바빌론의 보물? 이것 때문에 알렉산더 대왕이 암살당했단 말인가? 참, 허탈하군."

나는 너무 어처구니가 없었다.

"아리스토텔레스는 왜 이 돌덩이를 보물인 척하고 여기에 숨겨서 자신까지 위험에 빠뜨렸을까?"

"그러게 말입니다. 아리스토텔레스가 보물이 있는 척하지 않았다면, 그렇게 쫓겨 다니다가 죽임을 당하지도 않았을 텐데요. 뭐, 어디까지나 제 추측이지만 말이지요."

아리슝 교수도 돌덩이를 보면서 허탈함을 감추지 못했다. 그런데 류팽은 이상하게도 조용히 있었다.

"류 군, 자넨 허탈하지 않나?"

류팽은 뭔가 곰곰이 생각에 잠겨 있었다.

"잠깐만요. 고 박사님, 그리고 아리슝 교수님. 아직 보물이 안 나타난 것 같은데요?"

"뭐라고? 이 돌덩이가 안 보여?"

무슨 생각으로 그런 말을 하나 싶어 우리는 류팽을 보았다.

"아직 암호가 하나 더 남았잖아요."

"암호? 앗!"

그제야 우리는 마지막 암호가 생각났다.

"형상은 질료 속에 있다!"

아리슝 교수와 나는 동시에 소리 높여 읊었다. 그 사이 류팽은 돌덩이를 높이 집어 들었다.

"뤼팽 군!"

"류 군, 잠깐만!"

우리가 말리려고 뛰어갔지만, 돌덩이는 벌써 땅에 떨어져 박살이 나 있었다.

"이럴 수가!"

그런데 박살난 돌 조각들 속에 둘둘 말린 양피지 두루마리가 있었다.

"아, 이건!"

우리는 정신없이 양피지 두루마리를 집어서 덜덜 떨리는 손으로 펴 보았다. 그리스어를 아는 아리숑 교수가 글을 모두 읽을 때까지 우리는 숨을 죽여 바라볼 수밖에 없었다. 글을 읽는 아리숑 교수의

표정은 의외로 차분하고 담담해 보였다. 그런데 잠시 후, 아리숑 교수의 얼굴에 살짝 웃음이 피어오르더니, 다 읽고 난 후에는 큰 소리로 웃기 시작했다.

"도대체 뭐라고 쓰여 있기에 그렇게 웃는 겁니까?"

"말씀 좀 해 보세요, 교수님."

나와 류팽은 당혹스런 표정으로 아리숑 교수를 바라보았다.

어느 새, 밤이 깊어져 휘영청 밝은 보름달은 하늘 높은 곳에서 우리를 비추고 있었다.

　암호를 풀고 보물을 찾기 위해 아테네로 간 고만파 박사와 류팽, 아리숑 또틀려쑤 교수는 결국 보물을 찾아내지만, 그 보물이 돌덩이라는 사실을 알고 자리에 털썩 주저앉고 맙니다.

　그런데 류팽은 마지막 암호를 풀지 않았다며, '형상은 질료 속에 있다'를 외치며 돌덩이를 집어 던지는데요, 놀랍게도 깨진 돌덩이 속에서 아리스토텔레스의 보물이 나왔습니다. 물론 사람들이 기대했던 것과는 다른 보물이었지만요. 자, '형상은 질료 속에 있다'는 말이 무슨 뜻이었는지 다시 살펴볼까요?

　아리스토텔레스의 형상을 이해하기 위해서는 플라톤의 이데아를 먼저 이해해야 해요. 이데아는 idea라고 영어로 표현을 해요. 그런데 이것은 사실 idein이라고 하는 '알다, 보다'라는 뜻의 동사에서 파생된 단어예요. 그래서 이데아는 원래 보이는 것, 아는 것이란 뜻이었어요.

　물론 이것은 눈에 보이는 것을 뜻하지는 않아요. 이성으로 보이는 것, 즉 알고 깨닫는 것을 뜻하지요. 이데아는 철학, 즉 지혜의 궁극적인 목표예요. 영원히 변하지 않는 절대적인 진실이 바로 이데아거든요.

　십 년이면 강산도 변한다고 하죠? 이렇게 눈에 보이는 현실 세계는 늘 변화해요. 그래서 영원히 변하지 않는 이데아는 현실 세계에 있지 않고, 다른 세계에 있다고 플라톤은 말했어요. 현실의 세계와 이데아의 세계는 별개라는 말이에요. 현실의 세계는 눈으로 볼 수 있는 반면, 이데아의 세계는 이성으로 알 수 있다고 했어요.

그럼 아리스토텔레스의 형상은 무엇일까요? 형상은 이데아와 비슷한 것이에요. 단지 큰 차이가 하나 있는데, 형상은 현실 속에 있다는 것입니다. 이데아는 현실이 아닌 이데아의 세계에 있다고 했죠? 그런데 형상은 현실 세계에서 볼 수 있습니다. 그것은 질료라는 것을 통해 가능합니다

아리숑 또틀려쑤 교수님이 에펠 탑을 예로 들어 설명했는데, 에펠 탑의 모양, 기능, 구조 등이 형상이라면, 재료인 철은 바로 질료입니다. 그래서 형상은 질료 속에 있다고 말합니다. 우리는 질료를 가지고 만들어진 형상을 볼 수가 있는 것이고요.

질료를 가지고 만들어진 형상이 보이기 전에도 형상은 이미 우리 머릿속에 있답니다. 예를 들어 탑이라고 했을 때, 탑을 만들어 놓지 않았어도, 그 모양과 기능, 구조가 어떠한지 우리는 머릿속으로 알 수가 있잖아요. 우리는 그러한 탑의 형상에 따라 나무나 돌, 철 같은 질료를 가지고 탑을 만들 수 있답니다.

5

아리스토텔레스의 보물

자신의 욕망을 극복하는 사람이
강한 적을 물리친 사람보다 위대하다
−아리스토텔레스−

아리스토텔레스의 암호를 풀려고
아테네로 달려간 우리!
결국, 리카비토스 언덕에서 마지막 암호까지 풀고
숨겨 놓은 보물을 발견했다.
그런데 웬일인가!
그것을 확인한 아리숑 교수는 큰 소리로 웃었다.
도대체 보물은 어디에 있는 걸까? 아, 궁금하다.

① 보물은 바로 이것!

"교수님! 무슨 내용이에요? 보물이 다른 데 있다고 쓰여 있나요? 아이, 답답해. 얼른 말씀해 주세요, 네?"

류팽은 궁금해서 발을 동동 구르기까지 했다. 그것은 나도 마찬가지였다.

큰 소리로 웃다가 웃음을 멈춘 아리숑 교수는 우리를 보고 자못 진지한 표정으로 입을 열었다.

"이거, 아리스토텔레스가 쓴 편지 맞아요. 알렉산더 대왕에게 쓴 거지요. 내가 모두 읽어드리는 게 좋겠군요."

아리숑 또틀려쑤 교수는 양피지 두루마리에 적힌 글을 천천히 읽기 시작했다.

사랑하는 알렉산더 전하

지금쯤 전하의 표정이 어떨지 궁금합니다. 전하께서 부탁하신 절대무기가 아니라서 화가 나셨을지도 모르겠군요. 그러나 제가 아는 전하는 생각이 깊으신 분이라 제 글을 보고 나면 아마 호탕하게 웃으실 것으로 생각합니다.

처음에 헤라클레이데스가 저를 찾아와 전하께서 마케도니아를 적들에게서 영원히 보호할 수 있는 '절대무기'를 부탁하셨다고 전했습니다. 그 말을 듣고 많이 고민했습니다. 제 고향이 스타게이로스인 것 아시지요. 원래 마케도니아 땅이었지요. 게다가 저는 마케도니아의 대왕이신 알렉산더 전하의 선생이고요. 그래서 저도 마케도니아가 영원하기를 바라는 마음이 큽니다.

전하께서 원하시는 절대무기를 만들고 싶은 욕망이 불끈불끈 솟았습니다. 그러나 전하, 저는 중용의 덕으로 그 욕망을 다스렸습니다. 그리고 차분하게 생각을 했지요. 사람을 죽이는 데 쓰이는 무기가 과연 절대적으로 마케도니아를 지킬 수 있는가를요. 그것은 아니었습니다. 우리 마케도니아를 지킬 수 있는 것은 역시 사람이었습니다. 자신의 욕망을 극복한 사람 말입니다. 제가 전에 전하께 해드린 말씀을 기억하시나요?

'자신의 욕망을 극복하는 사람이 강한 적을 물리친 사람보다 위대하다!'

어떤 무기보다도 더 강한 것은 바로 중용의 덕을 잃지 않는 것입니다. 중용의 덕이 바로 절대무기입니다.

알렉산더 전하!

저는 전하께서 세계적인 대 제국을 건설해 전 세계가 평화로 가득하기를 꿈꿉니다. 또한 저는 전하께서 세운 나라가 중용의 덕을 실천하는 사람들로 가득하기를 꿈꿉니다. 행복한 나라, 영원한 나라, 어떤 적이 쳐들어와도 끄떡 없는 나라를 전하께서 만들어 주십시오. 절대무기, 바빌론의 보물은 바로 이것입니다.

사랑과 믿음을 담아서
아리스토텔레스 올림

편지는 여기에서 끝이 났다. 아리숑 교수가 편지를 다 읽고 난 후, 우리는 잠시 동안 침묵할 수밖에 없었다. 너무 감동적인 편지였기 때문이다. 또한 아리스토텔레스라는 철학자의 생각이 얼마나 깊은 것인지 알 수 있었기 때문이다.

우리는 한동안 리카비토스 언덕에 앉아 하늘을 쳐다보면서 이 생각 저 생각을 했다. 그리고 새벽 동이 틀 무렵, 언덕을 내려와 파리로 가는 비행기에 올랐다

② 보물찾기, 그 후

  이것은 작년 가을, 파리대학교에 교환교수로 갔을 때 일어났던 일이다. 지금도 그 생각을 하면 가슴 한쪽이 뿌듯해지면서 벅찬 감동에 젖는다.

  나는 지금 아주 행복하게 살고 있다. 아리스토텔레스가 말한 중용의 덕을 매일 실천하려고 노력하기 때문이다. 나는 정말 큰 보물을 발견했다고 생각한다. 물론 이 보물을 오해한 사람들이 서로 차지하기 위해 음모를 꾸며서 알렉산더 대왕과 아리스토텔레스를 결국 죽게 했다는 사실은 가슴이 아프지만 말이다.

아, 이것은 아리송 또틀려쑤 교수와 나, 그리고 류팽의 추측일 뿐이다. 그 옛날 있었던 일을 정확하게 알 수는 없다. 여러 가지 정보를 통해서 추측할 뿐이다.

중요한 것은, 중용의 덕! 인간은 혼자 사는 동물이 아니라고 했다. 인간은 여럿이 더불어 함께 살아가는 동물이다. 사회 속에서 중용의 덕을 잊지 말고 매일 실천하면서 살아가기! 이것이 나를 행복하게 하고, 가정을 행복하게 하고, 나아가 국가 전체를 행복하게 하는

길이다.

 나는 아리스토텔레스가 남긴 글귀를 큼직하게 써서 제일 잘 보이는 곳에 붙여 두었다. 내 안에 이 보물이 있는 이상, 나는 언제까지나 행복할 것이다. 작년 가을, 나는 정말로 말할 수 없이 값진 보물을 찾아낸 셈이다.

 '자신의 욕망을 극복하는 사람이 강한 적을 물리친 사람보다 훨씬 위대하다.'

'자신의 욕망을 극복하는 사람이 강한 적을 물리친 사람보다 위대하다.' 아리스토텔레스의 명언입니다. 아리스토텔레스는 어떤 강한 무기보다 더 강한 것이 중용의 덕을 잃지 않는 것이라고 생각하여, '절대무기' 대신 행복의 메시지를 보물로 남깁니다.

그것을 이해한 고만파 박사는 제일 큰 보물을 발견했다고 고백합니다. 인간은 혼자 사는 동물이 아니라, 여럿이 함께 더불어 살아가는 동물입니다. 사회 속에서 이 중용의 덕을 잃지 않고 하루하루 실천하며 살아가는 것, 그것이 행복해질 수 있는 방법입니다.

아리스토텔레스가 마지막 편지에 남긴 얘기처럼 절대무기를 마음대로 휘둘러 자신, 혹은 자기 나라만을 위해 사용한다면 인류는 결국 서로를 죽이며 자멸해 가는 수밖에 없을 것입니다.

전쟁을 일으키는 무기를 만드는 것도, 세상을 밝고 행복하게 평화의 방향으로 이끌어 가는 것도 결국은 인간의 마음속에 있는 마음의 작용이므로, 중용의 덕을 겸비한 훌륭한 인재를 육성해 최고의 선의 가치를 추구해 가는 것이 진정한 의미의 '절대무기'이며 행복의 요체라 할 수 있습니다.

통합형 논술
활용노트

01 아리스토텔레스는 '인간은 정치적 동물이다' 라는 말을 남겼습니다. 여러분은 인간이 어떤 동물이라고 생각하나요? 빈칸을 채우고 그 이유를 써 보세요.

1) 인간은 ○ ○ ○ 동물이다.
2) 그렇게 생각하는 이유

02 아리스토텔레스는 제일 완전하고 제일 만족스런 상태가 행복이라고 했어요. 돈, 명예, 권력, 지식 등 인간이 목표로 하는 것은 참 많아요. 그런데 아리스토텔레스는 이 모든 것이 결국 행복하기 위해서 필요한 것이라고 했어요. 여러분 생각은 어떤가요? 행복이 가장 큰 목표인가요? 아니면 행복보다 더 큰 최종 목표가 있나요?

1) 행복보다 더 큰 목표가 있다면, 어떤 것인지
2) 행복이 가장 큰 목표라면, 왜 그렇게 생각하는지

03 아리스토텔레스는 중용의 덕을 가져야 행복할 수 있다고 했습니다. 여러분은 어떻게 하면 행복할 수 있다고 생각하나요?

04 아리스토텔레스는 중용의 덕을 매일 실천해서 이것이 몸에 배 습관화될 때 행복할 수 있다고 했습니다. 여러분은 어떤 중용의 덕을 매일 실천하고 싶은지, 그리고 왜 그렇게 하고 싶은지 이유를 적어 보세요.

05 친구 사이에도 중용이 필요할까요? 필요하다면 그것이 어떤 중용일지 생각해 보세요.

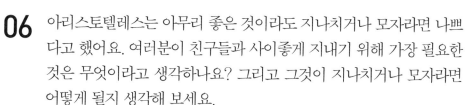

06 아리스토텔레스는 아무리 좋은 것이라도 지나치거나 모자라면 나쁘다고 했어요. 여러분이 친구들과 사이좋게 지내기 위해 가장 필요한 것은 무엇이라고 생각하나요? 그리고 그것이 지나치거나 모자라면 어떻게 될지 생각해 보세요.

1) 친구들과 사이좋게 지내기 위해 가장 필요한 것
2) 그것이 지나치면
3) 그것이 모자라면

07 아리스토텔레스는 결국 인간은 국가라고 하는 정치 공동체 속에서 행복을 이룰 수 있다고 말했어요. 국가는 인간이 행복하기 위해 필요하다고 했습니다. 여러분은 혼자서도 행복할 수 있다고 생각하나요? 아니면 여러 사람과 함께 살아야 행복할 수 있다고 생각하나요?

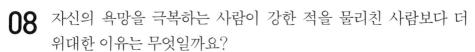

08 자신의 욕망을 극복하는 사람이 강한 적을 물리친 사람보다 더
위대한 이유는 무엇일까요?

09 중용의 덕을 매일 실천해서 좋은 행동이 습관화되어야 행복할 수 있다고 했는데, 어쩌다 좋은 행동을 하는 것과 날마다 좋은 행동을 하는 것이 어떻게 다를까요? 또 어쩌다 좋은 행동을 하는 것이 행복할 수 없는 이유는 무엇일까요?

통합형 논술 활용노트
문제풀이

01

1) 인간은 도덕적 동물이다.

2) 철학자 아리스토텔레스가 인간을 정치적 동물이라고 한 이유는 여러 가지이겠지만, 그중에 하나는 인간이 아닌 다른 동물은 정치를 하지 않기 때문입니다. 물론 다른 동물들도 사회생활은 합니다. 무리를 지어서 살아가니까요. 꿀벌의 사회만 봐도, 여왕벌, 일벌 등 계급이 있고 질서가 있어요. 하지만 인간처럼 국가를 만들고 서로 행복하게 살기 위해 여러 가지 장치를 만드는 동물은 없습니다. 그래서 아리스토텔레스는 인간을 정치적 동물이라고 했습니다.

그러면 인간만이 가지고 있는 또 다른 특징은 무엇일까요? 저는 인간은 도덕적이라는 데 있다고 생각합니다. 도덕은 여러 사람과 함께 살아갈 때 지켜야 하는 것입니다. 사람들이 전부 다 자기가 하고 싶은 대로 한다면, 다른 동물들 사회와 다를 바 없이 힘이 센 사람만 살아남을 것입니다. 그러나 인간들 사회에는 도덕이 있어 각자 욕심을 다스리면서 남과 함께 행복하게 살려고 노력합니다. 그래서 저는 인간이 도덕적 동물이라고 생각합니다.

02

1) 저는 행복이란 기분이 좋은 것이라고 생각합니다. 그래서 행복보다 더 큰 목표가 있고, 또 있어야 한다고 생각합니다. 왜냐하면 모든 사람이 선량할 수는 없고, 또 선량하다고 하는 사람도 항상 선량할 수만은 없기 때문입니다. 예를 들어 정말 악한 사람이 있다고 가정해 봅시다. 그 사람은 악한 일을 할 때마다 기분이 좋아집니다. 악한 일을 하는 것이 행복한 것입니다. 또 악하지 않은 사람도 어쩌다 악해질 수 있습니다. 그러면 악한 일을 할 때 행복을 느낄 수 있습니다. 그래서 저는 행복이 인생의 가장 큰 목표는 아니라고 생각합니다. 그보다 더 큰 목표가 있어야 한다고 생각합니다.

행복보다 더 큰 목표는 선하게 사는 것이라고 생각합니다. 그렇기 때문에 잘 사는 것은 바로 선하게 사는 것입니다. 어떤 사람이 잘 살았는지 못 살았는지를 알려면 얼마만큼 선하게 살았는지를 보면 된다고 생각합니다. 왜 선하게 사는 것이 가장 중요하냐면, 우리는 혼자 살 수 없기 때문입니다. 여러 사람과 함께 사는 데 필요한 것이 바로 선입니다. 다른 말로 바꾸면 도덕

이라고도 할 수 있습니다. 무엇이 행복이고, 어떻게 하면 행복한가는 사람마다 다르지만, 도덕은 사람마다 똑같은 것이기 때문에, 행복보다 더 큰 인생의 목표는 선하게 사는 것이라고 생각합니다.

2) 행복은 쾌락, 즐거움과는 다른 것입니다. 행복은 양심에 거리낌 없이 마음이 평안한 상태에서 느낄 수 있는 것입니다. 육체적인 만족이 아니라, 정신적인 만족이 있는 상태입니다. 그렇기 때문에 악한 사람이 자기의 욕심을 한껏 채울 때, 쾌락이나 즐거움은 느낄 수 있겠지만, 행복할 수는 없습니다. 어떤 나쁜 사람도 양심은 있으니까요.

인간은 다른 동물과 달리 영혼을 가지고 있기 때문에 의식주에 대한 만족만이 아니라 더 높은 차원의 것을 추구합니다. 밀림에 들어가서 의료봉사를 한 슈바이처 박사님, 평생을 가난하고 병든 사람과 함께한 테레사 수녀님은 의식주와 같은 물질적 환경은 부족했지만, 남을 위해 봉사하면서 행복을 느꼈습니다. 멋진 옷, 큰 집, 맛있는 음식이 모든 사람이 추구하는 인생 목표는 아닙니다. 돈, 명예, 권력도 인생 목표는 아닙니다. 그런 것들이 부족해도 행복할 수 있고, 그런 것들이 넘쳐도 불행할 수 있습니다. 가장 중요하고 큰 인생의 목표는 마음의 행복입니다.

03 아리스토텔레스는 아무리 좋은 것이라도 지나치면 좋지 못하다고 했는데, 저는 좋은 것은 지나쳐도 좋다고 생각합니다. 예를 들어 사랑을 생각해 보면, 사랑은 많으면 많을수록 좋은 것입니다. 그래서 모든 경우에 중용의 덕을 지키는 것은, 혼자만 마음 편하자는 이기적인 생각일 수도 있습니다. 그렇기 때문에 모두가 행복하기 위한 더 좋은 방법이 있는데, 그중 하나가 화평하려고 노력하는 것이라고 생각합니다. 남과 내가 함께 화목하고 평안하기를 노력한다면 모두가 행복하게 될 것입니다. 그것은 중용의 덕을 지켜서 얻을 수도 있지만, 경우에 따라서는 안 지켜서 얻을 수도 있습니다.

04 저는 용기의 덕을 매일 실천해서 몸에 배게 하고 싶습니다. 왜냐하면 용기가 있으면 깡패에게 시달리는 친

구를 도와줄 수 있고, 혼나는 것이 무서워 거짓말하는 것도 줄일 수 있으니까요. 그런데 너무 용기가 지나쳐 무모하게 되면 도리어 자신이 다칠 수 있습니다. 강도가 칼을 들고 위협할 때 무모하게 덤벼들다가는 다치거나 죽을 수 있어요. 그렇게 되면 부모님께서 슬퍼하시겠죠. 그럴 때는 무모하게 덤비기보다는 강도가 흥분하지 않도록 지혜롭게 말하고 행동해야 해요. 그래서 저는 지혜로운 용기를 가지고 싶어요.

05 저는 친구가 지나치게 저를 간섭하고 관심을 쏟을 때 힘이 듭니다. 왜냐하면 제게도 친구와 나누고 싶지 않은 아주 개인적인 것이 있기 때문입니다. 예를 들면 제가 좋아하는 것, 싫어하는 것, 우리 가족에 관한 것은 남에게 간섭받고 싶지 않은 것입니다. 그래서 저는 친구가 지나치게 간섭하고 알려고 할 때마다 귀찮고 기분이 나빠집니다. 그렇지만 친구에게 화를 낼 수는 없어서 그냥 참습니다. 그런데 계속 이런 일이 반복되다 보면, 친구가 싫어지고, 멀어지게 됩니다. 친구 사

이도 중용의 덕을 지켜야 우정이 커진다고 생각합니다.

06 1) 친구와 사이좋게 지내려면 나와 다르다는 것을 인정해야 합니다. 나보다 마를 수도 있고, 뚱뚱할 수도 있습니다. 나보다 똑똑할 수도 있고, 둔할 수도 있습니다. 나는 체육을 잘하지만, 친구는 체육을 전혀 못하는 반면 음악을 잘할 수 있습니다. 나는 책 읽는 것을 좋아해서 집에 있는 것을 좋아하는데, 친구는 밖에서 뛰어노는 것을 좋아할 수 있습니다. 이럴 때 억지로 나에게 맞추려고 하면 싸우게 됩니다. 내가 좋아하는 것과 친구가 좋아하는 것이 다르다고 해서 친구를 이상하다고 비웃으면 안 됩니다. 나와 다르다는 것을 인정하고 이해할 때 친구와 사이좋게 지낼 수 있습니다.

2) 다른 사람을 이해하는 것이 지나치면, 나쁜 행동조차도 이해해 버릴 수 있습니다. 친구가 나쁜 길로 빠질 때에는 이해가 아니라 충고를 해야 합니다. 그것을 그냥 지켜보고만 있는 것은 더 나쁜 일입니다.

3) 다른 사람을 이해하는 것이 부족하면 자

기중심적이고 이기적인 사람이 됩니다. 입장 바꿔 생각해 보자는 말이 있는데, 다른 사람을 이해하기 위한 방법 중 하나가 그 사람의 입장에서 생각해 보는 것입니다.

07 인간은 여러 사람과 함께 살아갈 때 행복할 수 있습니다. 물론 다른 사람들과 함께 살면서 다투고 마음 상할 일도 많이 생기지만, 반대로 도움도 많이 받습니다. 먼저 교육도 받을 수 있고, 식량도 부족하지 않게 생산할 수 있고, 신체를 보호할 수도 있습니다. 그리고 혼자 살 때는 필요 없는 도덕이 무엇인지 배우게 되고 선하게 살기 위해 노력합니다. 이런 과정에서 인간은 행복할 수 있습니다.

08 칼로 흥한 자는 칼로 망한다는 옛말이 있습니다. 그리고 칼이 어떤 사람의 몸을 죽일 수는 있어도 그 사람의 정신을 죽일 수는 없습니다. 사람은 누구나 다 한 번은 죽습니다. 그렇기 때문에 '안 죽는 법'이 아니라 '잘 죽는 법'이 중요하다고 생각합니다. 잘 죽으려면 불행한 상태로 죽는 것이 아니라 행복한 상태로 죽어야 합니다. 강한 적을 물리친 사람도 결국은 죽습니다. 강한 적을 물리쳤는데도 불행하다면 무슨 소용이 있겠어요. 그래서 어떤 사람보다도 위대한 사람은 행복한 사람이라고 할 수 있습니다. 행복하려면 중용의 덕을 실천해야 합니다. 지나치고 싶거나 모자라고 싶은 자신의 욕망을 잘 극복해서 중용의 덕을 실천하는 사람이 행복한 사람입니다. 그래서 자신의 욕망을 극복하는 사람이 강한 적을 물리친 사람보다 위대하다고 생각합니다.

09 어쩌다 좋은 행동을 하는 것은 충동적으로 하는 것이지만, 날마다 좋은 행동을 하는 것은 굳게 마음먹고 하는 것입니다. 굳게 마음먹는 것을 의지라고 합니다. 의지가 있어야 덕을 쌓을 수 있습니다. 날마다 의지를 가지고 좋은 행동을 해서 덕이 쌓여야 행복할 수 있습니다. 그렇기 때문에 중용의 덕을 매일 실천해야 행복할 수 있고, 어쩌다 좋은 행동을 해서는 행복할 수 없다고 생각합니다.